2 日本で死んだキリストの墓
せんかいき
セカイの千怪奇
SEKAI NO SENKAIKI
木滝りま　太田守信・作
先崎真琴・絵
JN197241

世界は、千々の怪奇にあふれ、
科学では説明できない現象がおきている。
その真実を、人類は未だ知り得ない。

もくじ

世開　未知人

中学１年の12歳。父・世開 豪とともに世界中の怪奇現象を追う。端整な顔だちだが、身だしなみには無頓着。過去のある事件からオカルトにのめりこみ、クラスでは変人とよばれる。

登場人物

世開　豪

未知人の父。元は大学教授で考古学者。オカルト動画配信サイト「オーチューブ」で「ミステリーガイド・ゴウ」として活動。寒いギャグをよくいう。

天堂　マコ

中学１年の12歳。未知人とは保育園のころからのつきあいで、小・中学校も同じ。合気道部と弁論部に所属。しっかり者のパワーガール。

アーサー

フィッツジェラルド家の執事でイギリス人。わがままなお嬢様、アンナに翻弄されがち。

アンナ・フィッツジェラルド

怪奇現象をネタにする12歳のオーチューバー。フィッツジェラルド家の財力を使って世界中で動画を撮影している。父はイギリス人、母は日本人。

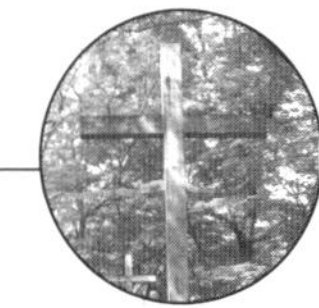

3 日本(にほん)で死(し)んだキリストの墓(はか)

日本(にほん)

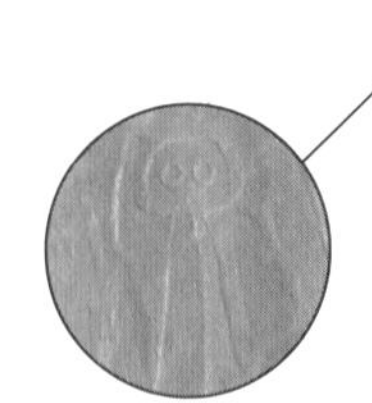

1 不吉(ふきつ)な地上絵(ちじょうえ)・ナスカの怪(かい)

ペルー

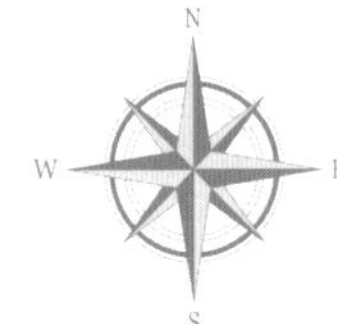

日付変更線(ひづけへんこうせん)

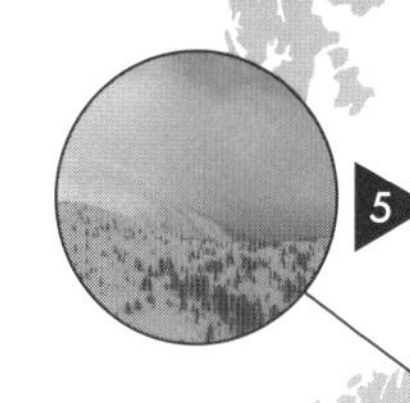

5 ディアトロフ峠事件・雪に埋もれ消えた真実

ロシア連邦(ソビエト連邦)

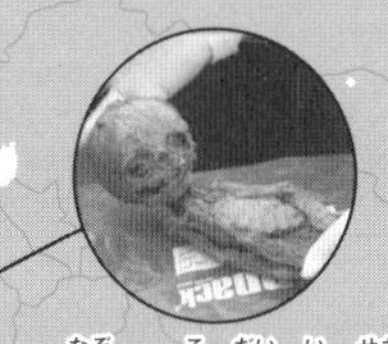

4 謎の古代遺跡・小人族の村

イラン

赤道

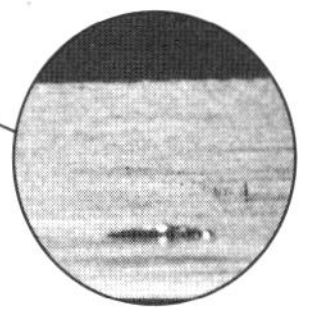

2 テレ湖の怪物

コンゴ共和国

プロローグ

ヒソヒソ……。

ゴニョゴニョ……。


ふつうの人間にはこのようにきこえる遠くの会話が**未知人**の耳には正確にはいってくる。たとえ未知人が家のなかにいて、会話のぬしが外にいたとしてもだ。

幼いころ、母が目の前で謎の光のなかに消えてしまったとき、未知人は、ショックのあまり銀髪になるとともに、なぜかこの異常な聴覚をもつようになった。

それからしばらくは、このみょうな体質を恨み、苦しむ日々がつづいた。なぜなら、きこえてくることばのおおくは父である豪への根も葉もないうわさや悪口。そして未知人をあわれむものばかりだったからだ。

そして、今日もそんなうわさ話がきこえてくる。

「うすきみわるい洋館ね。いなくなったおくさん、ここのお庭にうまってるんじゃないかって、いわれてるのよ」

「まあ、こわい！　それじゃあ息子さん、知らずに殺人犯のお父さんとくらしてるっていうことなの⁉」

「あらやだ、わたし、そこまではいってないわ。お父さんが犯人だなんて」

だが、今ではもうすっかりなれてしまった。

心ないうわさ話でもりあがる近所の住人にどう思われたところで、どうせ彼らにはその真相を追究しようとか、暴いてやろうとか、そんな気持ちも行動力もないのだから。

〔くだらない……〕

心をとざしてしまえば、耳にはいることばに感情がふりまわされることはない。

未知人はそうやって、これまで生きてきた。

コンコン。

部屋の扉をノックする音。

未知人の父であり、超人気オーチューバーである世開豪だ。

「準備はできたか？」

「ああ、もうでられるよ」

未知人は机のひきだしからビー玉をとりだしポケットにいれると、大きなリュックサックをかつぎあげ、背おった。

「あら、未知人。あ、お父さんも。おはようございます」

家をでてすぐに声をかけてきたのは、**幼なじみの天堂マコだった。**

「その荷物……ってことは、またどこかにいくの？」

「ああ。ちょっと、地球の裏側にね」

「全然『ちょっと』っていう距離じゃないわね。でも、ちゃんと授業には参加するのよ」

「わかってるって」

未知人のかよう学校ではオンラインでの授業参加もみとめられている。そのため、世界中をとびまわる未知人も、ネット環境さえあればタブレットをつかって出席できるのだ。

「それじゃ」

「気をつけてね。あぶないことしちゃダメよ」

「なんだよ、それ」

マコのことばをきいて、未知人は「『お母さん』みたいだ」と思った。母がいたら、きっとおなじようにいうだろう。

こんどの旅では、行方不明のままである母の手がかりが見つけられるだろうか。母は今でもどこかで自分のことを思ってくれているだろうか。

遠ざかっていくマコの背中を見おくりながら、未知人の頭のなかには、そんな思いがうかんでいた。

「いこうか、未知人」

「ああ」

未知人は豪とともに歩きだす。すると豪が口を開いた。

「それにしても、朝からおもしろいショーが見られたなぁ」

「なんだよ」

「マコちゃんの、**心配ショー**ってな！」

1

不吉な地上絵・ナスカの怪

1939年6月、プロペラ機の轟音がひびくなか――。

「うわっ、なんだあれは!?」

考古学者のポール・コソック博士は、轟音にも負けない大声でさけんだ。

「地表に巨大な線があるぞ!」

操縦していた助手が問いかえす。

「古代の用水路のあとでしょうか?」

「……いや、ちがう。あれはなにかの……もよう? いや、絵だ!!」

真下の大地に、線でかかれていたのは、巨大なハチドリの絵だったのだ。

ほかにも、コンドル、サル、クモなど、地表には数々の絵がかかれていた。

博士たちがいる場所は、ペルー、ナスカ平原の真上。古代の農耕文明を研究するために、その上空を軽飛行機でとんでいたときの出来事だった。

これらの絵は大きすぎて、地上にいたときはまったく気づくことができな

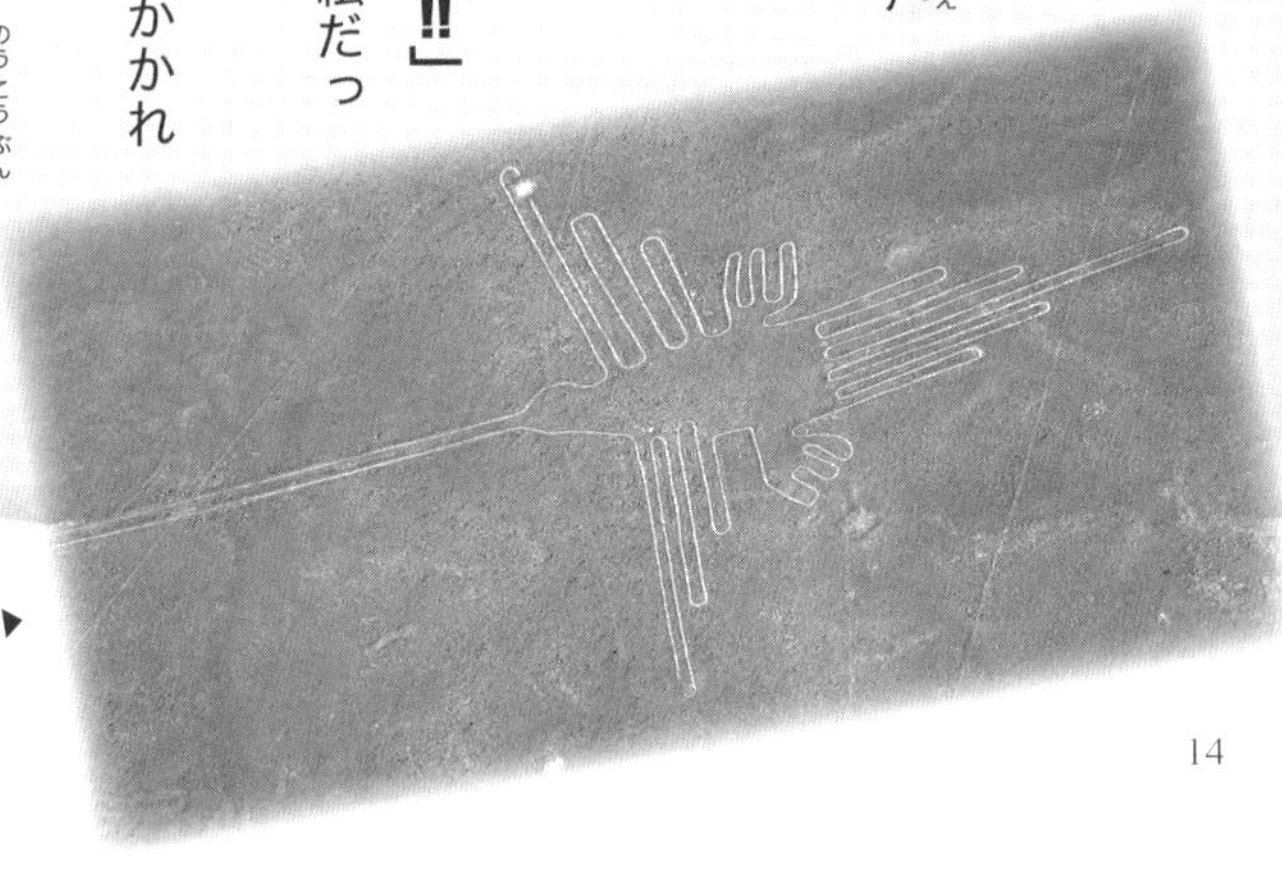

ハチドリの絵▶

かった。

空の上にきて、はじめて絵だとわかったのだ。

「いったいだれが、なんのためにこんなものを……？」

地上におりてしらべてみたところ、それらの絵は、地面に深さ30センチ、幅1〜2メートルの溝をほり、かかれたものとわかった。

この地方の土地は、明るい黄白色の土でできているが、表面の土は焼けつくような砂漠の太陽にてらされて酸化し、暗い赤褐色になっている。すこしほると明るい土が表面にあらわれ、空の上から見ると、その部分が線のようにうつるのだ。

その後の調査で、これらの巨大な絵は、今から2500年ほど前にかかれたものだとわかった。発見された絵は「ナスカの地上絵」として、1994年に、世界文化遺産に登録された。

▲クモの絵

スマホの画面には、日本のテレビ局のスタジオがうつっている。

「ちょっと手塚さん、どこいくんですか⁉」

スタジオは騒然となっていた。スポーツ番組の生放送中にコメンテイターのひとり、**タレントの手塚 直也**がとつじょ席を立ち、フラフラと歩きだしたのだ。

「手塚くん、生放送中だよ！」

「はやくもどって！」

一同はよびかけたが、直也はなんの反応もしめさない。

まるで、なにかにあやつられているかのように、夢遊病者のような足どりでスタジオをでていくと、直也はそのまま、こつぜんとすがたを消してしまったのだった。

「未知人、何回その動画を見れば気がすむんだ」

父・豪が、スマホにかじりついている未知人にいう。

ここは、成田空港の出国ロビー。

未知人がイヤホンを耳に当て、くりかえし視聴していたのは、生放送中にスタジオをでて

いく手塚直也のすがたをうつした動画だった。

かすかだが、その背景には、**ヴーン**という音がきこえている。

母が謎の光に飲みこまれて失踪したときにきいた音だ。

たぶん動画を見た人で気づく者はいないだろうが、人間ばなれした聴覚をもつ未知人の耳にはきこえるのだ。

「手塚直也は、半年前にバラエティー番組の仕事でナスカへいっている。そのとき、UFOを見たとブログに書いてあった。手塚の失踪と今回ナスカでおきたふしぎな事件、なにか関係があるんじゃないかと思って……」

画面に目を落としたまま、未知人はボサボサの銀髪をかきあげる。自分の外見にはいっさい無関心な未知人だが、鼻筋のとおった顔は、よく見ると、なかなかの美少年だ。

「まあ、関係あるのかもしれないし、ないのかもしれない……**ナスカだけに、それについてはおいおい話スカ**」

豪はいつものダジャレを口にしたあと、ふと思いだしたように、未知人にいった。

「そういえば、おまえがルーマニアのホィア・バキュー・フォレストで遭遇したっていう軍服男のこと、今、ある筋にたのんでしらべてもらっている」
父のことばに、未知人のなかには、あのときの恐怖の記憶がよみがえってきた。

さまざまな怪奇現象がおきるとウワサされているルーマニアの森。

黒っぽい軍服すがたのその男は、霧のなかにあらわれた。

「みんなをどこにやったんだ」

「さてね。ああ、キミといっしょにいたオッサンはかえすよ。もう『満席』だからね」

男は、未知人に意味深なことばをのこすと、霧のなかへと消えていった。

(しらべてもらってるって……やっぱり父さんも、あのときオレが見た男のことを、まぼろしではなく、実在する人間と考えているのか?)

未知人は、そんなことを考えながら、父・豪の顔を見る。

搭乗開始のアナウンスが流れたのは、そのときだった。

「おっ、時間だ。いざ地球の裏側へゴー！」

豪はそういって、立ちあがる。

未知人も、あわててスマホの電源をきり、立ちあがった。


朝の４時。

朝食のパンをなんとか胃におさめ、大型のバスにのる。

バスの車窓から見えるのは、ひたすらおなじ景色だ。

道路の片側にはどんよりした色の海、反対側には砂丘がひろがっている。

昨日、未知人と豪は、21時間のフライトを経て、**ペルーの首都リマ**のホルヘ・チャベス国際空港にたどりついた。

ふたりは、その日、リマ市内のホテルに1泊した。

そして、今日、この大型バスにのり、目的地にむかっていたのだ。

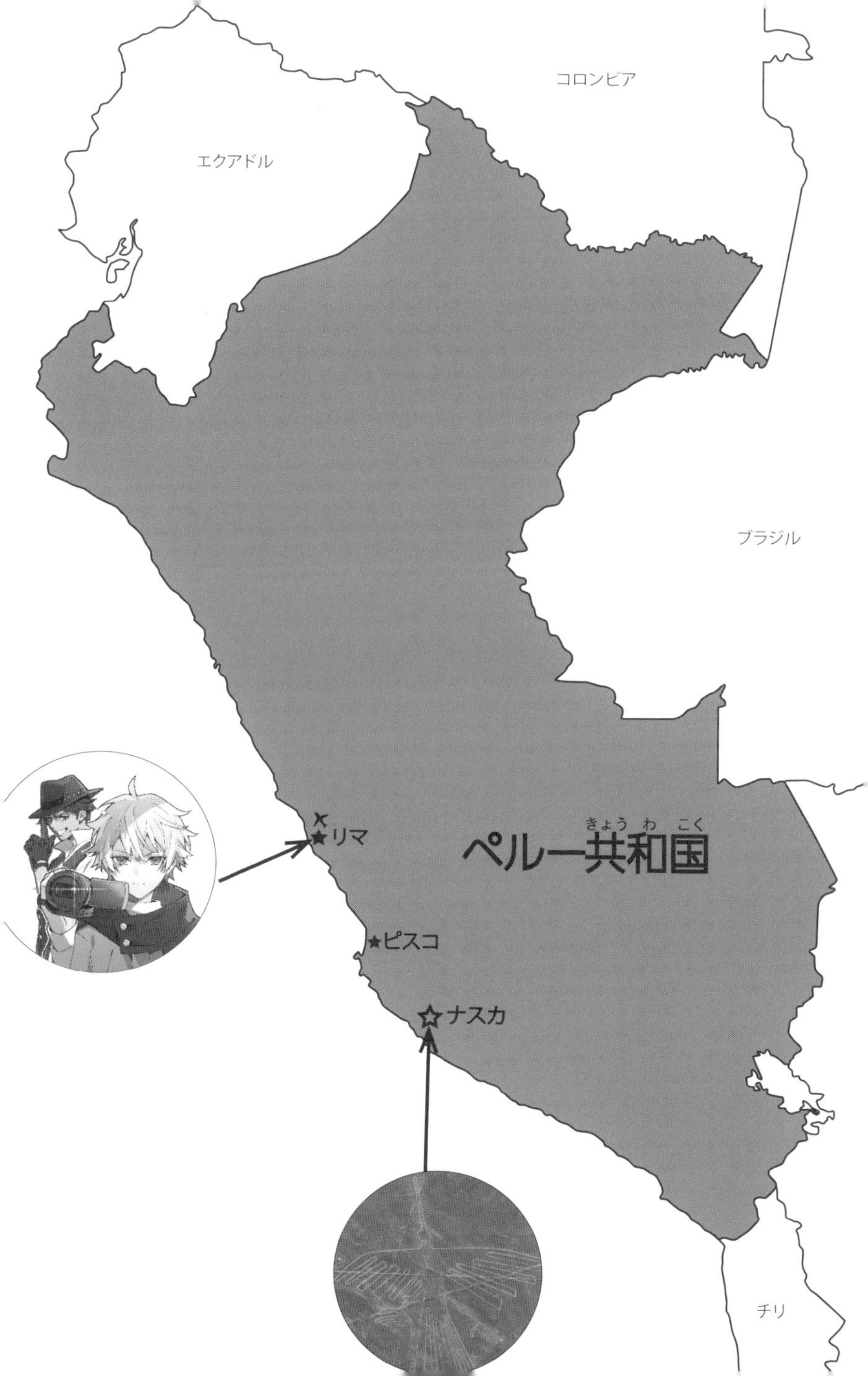
コロンビア
エクアドル
ブラジル
ペルー共和国(きょうわこく)
リマ
ピスコ
ナスカ
チリ

走りつづけること4時間半、バスはピスコの町にたどりつく。

夜明け前の紫がかった空は、晴れわたった青空に変わっていた。

ピスコは、首都リマにくらべるとかなり小さく、のどかな町だ。

しかし、ここには、こぢんまりとした町につりあわないりっぱな空港がある。ナスカの地上絵を見るための、遊覧飛行用につくられた空港だった。

「はい、毎度おなじみミステリーガイド・ゴウでーす！

今日はここ、南米ペルーの**ピスコ**という町にきております。

ピスコといえば、世界文化遺産にも登録された、ナスカの地上絵が有名なんですね～。なんとその世界遺産で、怪奇事件が勃発しちゃいました！

ピスコの町のようす▲

だれかのイタズラか、ハタマタ宇宙人のしわざか、新しい地上絵がひと晩のうちに出現しちゃったというからおどろきです！　**ナスカだけに、ナ〜ンスカ〜それぇ〜〜!?**　ナンチャッテ。ではでは、さっそく見にいってみたいと思います！」

空港前で豪と未知人は、オープニングにつかう動画の撮影をしていた。

豪がしゃべり、未知人がビデオカメラをまわす。

豪は、チャンネル登録者数７００万人をほこる人気のオーチューバー**「セカイの千怪奇ちゃんねるのミステリーガイド・ゴウ」**だ。

世界の怪奇スポットを紹介したり、怪奇現象の謎にせまる豪の動画は、日本語と英語で同時配信され、世界中にファンがいた。

「おっ、ゴウ・セカイだ！」

「わあ、サインちょうだい！」

「いっしょに写真とってぇ〜〜！」

英語、日本語、スペイン語など、さまざまな言語の声がとびかう。

撮影中の豪のまわりには、いつのまにか人だかりができていた。

「オーケー、オーケー、仕事中だからまたあとでぇ～～」

豪はテキトーなことをいってかわし、未知人とともに空港のターミナルへと走った。


「ちょっと、レディにむかって体重計にのれなんて失礼じゃない！」


ターミナルに到着すると、だれかが係員ともめていた。

早口の英語だが、未知人には、１００パーセント、内容が理解できる。幼いころから父とともに世界をわたり歩いているうちに、未知人は自然と語学力を身につけ、今では英語ならネイティブなみにしゃべり、ききとることができたのだ。

そして、声の主がだれなのかも、すぐにわかった。

長いまき毛の金髪に、パニエでふくらんだゴシック・ロリータのドレス。

人形のようなすがたをした少女——アンナ・フィッツジェラルドだ。

年齢は、未知人とおなじ12歳。大富豪の親をもち、**執事のアーサー**とともに世界中をかけめぐってオカルトを追っている子どもオーチューバー。

はやい話が豪の同業者だが、アンナの**科学絶対主義**的強引な謎解きは、しばしばオカルトファンの怒りをかい、炎上の的となっていた。

どうやらアンナも、地上絵を見るため、セスナにのろうとしているようだ。機体のバランスをとるために体重測定が必要なのだが、アンナはイヤだといってさわいでいる。

そばをとおりかかった未知人は、サラリといった。

「機体のバランスをとって安全に飛行するためには、必要なことらしいよ」

「そんなこと、わかってるわ！　これはレディとしてのプライドの問題なの！」

「おじょうさま、もうそのへんにしておきませんか？　セスナにのせてもらえなくなってしまいますよ」

見かねた執事のアーサーがそういってアンナをたしなめ、騒動はどうにかおさまった。

搭乗時間になり、未知人と豪は、ほかの乗客たちとともにセスナにのりこんだ。

ふたりの席は、通路をはさんでアンナやアーサーの席ととなりどうしだ。

セスナは満席だった。ナスカは元々人気の観光スポットだが、今回、あらたに地上絵が出現したということもあって、世界中から大勢の人びとがおし寄せてきたのだ。

◀宇宙飛行士の地上絵

とび立ってまもなく、一面、赤さび色の地表が見えてきた。

ここナスカ平原は、ほとんど雨がふらない。

2000年以上前にかかれた地上絵が、今もこうして浸食されずにのこされているのも、年間降水量が10ミリ以下という気候環境がつくりだした奇跡である。

「右にクジラの絵が見えてきましたぁ～」

副機長による英語のアナウンスがきこえてくる。

まどぎわの席にすわっていた未知人の目の下には、砂漠の海を泳ぐクジラのすがたがうかびあがった。

しかし、クジラの絵をじっくり見ようとしていると、とつぜん機体がかたむき、セスナは左に旋回する。すると、こんどは人間のような形をした地上絵が見えてきた。

ヘルメットをかぶり、宇宙服をきているようなこの人型の地上絵は、「宇宙人」、「宇宙飛行士」などの愛称で親しまれている。

さらに、シッポが渦まきになったサル、クモ、木、人間の手、コンドル、コンパス、ハチドリ、犬などの地上絵が次々とあらわれた。

「しっかし、デカい絵だよなぁ～」

父・豪が、もと考古学教授らしからぬ、そぼくな感想を口にする。

地上絵をじっさいに目で見てでてくることばは、それにつきると未知人も思った。

大きさは絵の種類によって異なるが、およそ50～100メートルほど。

なかでも最大のペリカンの絵は、全長なんと285メートルにもおよぶ。

動植物などをかいた絵のほかにも、直線や幾何学模様などの地上絵が多数見つかっている。


古代人は、いったいなんの目的でこのような地上絵をかいたのか?


ナスカの地上絵を構成する直線には、太陽と星の動きをあらわしているものもあり、農業用のカレンダーとしてかかれたという説もある。

ほかにも、雨ごいのためにかかれたという説。

地上絵が聖なる場所にたどりつくための巡礼路であったとする説など、さまざまな説がとなえられているが、いまだハッキリとした目的はわかっていない。

なかには「宇宙人ののる宇宙船が発着するときの滑走路として使用されていた」というオ

カルトよりの説もある。

しかし、最大の謎は、「どうやって」それをかいたかということだろう。

飛行機もドローンももたない当時の人びとに、空から絵を見てたしかめるすべはなかったはずだ。「宇宙人がかいた」とするオカルトよりの説も、そのような謎から生まれたのだろう。

「みなさま、おまたせしました！　いよいよ新しい地上絵が出現した場所に、みなさまをおつれします！　この絵が発見されたのは、5日前のことです。長年このセスナの副機長をやっていて、こんなにおどろいたことはありません！　まさにアンビリーバブル、ありえないできごとがおきたのです！」

副機長が興奮したようすで乗客たちに告げる。機長は、グッと機体を旋回させた。

すると、真下に、縦横50メートルくらいの大きさのカラスの絵があらわれた。

「みなさま、この絵はいうまでもなく、これまでこの場所にはありませんでした！　だれかが新しくかいたものです！　たったひと晩でこんな巨大な地上絵を完成させてしまうなんて、とても人間ワザとは思えません！」

副機長の気あいのこもった解説。

乗客たちは、地上絵を見おろしながらドヨめいている。

そのとき、父・豪がボソリとつぶやいた。

「カラスが鳴くと人が死ぬ」

「えっ？」

未知人は、おどろいて豪を見る。すると、豪はわらっていった。

「昔から日本にいい伝えられている迷信だよ。カラスは、東洋でも西洋でも死の凶兆、不吉な鳥とされてるんだ。もっとも日本神話にでてくる三本足の八咫烏は、神のつかいだけどな」

未知人は、父・豪のことばに意味深なものを感じた。


地上絵の遊覧飛行ツアーには、食事のサービスもついている。セスナをおりた未知人と豪は、空港近くのレストランで参加者たちとランチをとることになった。

セビーチェという名のシーフードマリネや、アロス・コン・マリスコという魚のパエリア。ペルー料理は、さっぱりとした味つけで、日本人の舌によくあう。

「父さん、あの絵、どう思う？」

食事をしながら、未知人は父・豪にたずねた。

「カラスは不吉な鳥だっていってたけど、つまり父さんはあの絵を何者かのメッセージ、警告みたいなものだと考えてるの？」

「いや、べつにそんな意味でいったわけじゃ……はは、でも、いわれてみれば、そうかもしれないな。**大いなる宇宙の使者からの警告？**　おっ、このフレーズ、動画のキャプションにも使えるな！」

豪が冗談めかしてこたえる。

すると、となりの席で食事をしていたアンナが口をはさんだ。

「ちがうわ。あの絵は、どこかの目立ちたがり屋がかいた、ただのイタズラ書きよ」

「イタズラ書き？　たんなるイタズラ目的で、あの大きな地上絵をかいたっていうのか？」

「拡大法を使えば、かんたんだわ」

アンナは、堂々といいきる。

拡大法というのは、飛行機もドローンもなかった古代の人びとが、空からしか確認できない巨大な地上絵をかきあげた方法として、おおくの学者たちが支持している説だ。

かんたんにいえば、地上絵のモデルとなる原画をかき、それをもとに、さらに大きな絵をかくという方法である。

たとえば三角形の地上絵を拡大法を使ってかく場合、原画の三角形の真ん中あたりに木の杭を打ちこんで、拡大したい長さのヒモをむすびつける。そのヒモを三角形のカドにむかってピンとのばし、ヒモの先端が届いたところに点を打って、３つの点をむすべば、原画とおなじ形の大きな三角形をかくことができるのだ。

「昔の地上絵も、今回見つかったあのカラスの絵も、拡大法をつかってかかれたものと見てまちがいないわ。この方法なら、小学生でもかんたんに地上絵をかけるもの」

「おいおい」

未知人はあきれる。

「小学生でもって……拡大法を使って地上絵をかくのに、どれほどの時間と労力がかかるか、きみは知ってるのか？　たったひと晩であの絵をかきあげるなんて**絶対に不可能だよ**」

「**人手がたくさんあったら、ひと晩でだって可能なはずよ！**　……そう、あれはヒマな若者たちのしわざだわ！　話題づくりのために、ＳＮＳで仲間をあつめたのよ！」

アンナはムキになる。

「それより最先端の科学技術や高性能なドローンを使ったと考えたほうが現実的だろ。今の時代なら」

未知人もついつい熱くなってしまい、場は険悪なムードになった。


食事のあと、アンナとアーサーはワカチナ湖へ観光にいくという。

「もう結論はでたから、これ以上の調査は時間のムダだもの」

そんなアンナとわかれ、未知人と豪はホテルへとむかった。

この日はピスコのホテルに１泊し、ふたりは調査を続行する予定だった。

ホテル近くの繁華街で土産物屋をのぞくと、そこには福の神として知られるエケコ人形が売られていた。チョビヒゲをはやしたオジサンの人形だが、民族衣装をきたそのすがたは、どこかユーモラスでかわいらしい。

ボンヤリ人形をながめていると、目のはしにふと、見おぼえのある人影がよぎった。

「……手塚直也⁉」

未知人はつぶやき、直也らしきその人影を追いかけていく。

観光客でにぎわう町中を、未知人は人ごみをかきわけ、ひた走った。

——しかし、すがたをみうしなってしまった。

顔を見たのはほんの一瞬だけだったので、あの人影が本当に手塚直也だったかどうかは定かではない。

（……しまった。せめて写真をとっておくんだったな）

追いかけることに夢中になっていた未知人は、父・豪ともはぐれてしまったようだ。

父に電話をかけようと、スマホをとりだしたそのとき、ひとりの紳士が未知人に英語で話しかけてきた。

「こんにちは。ミステリーガイドの息子、ミチトくんだね？」

「あ……はい、そうですけど」

いったいだれなんだろうといぶかりながら、未知人は紳士を見る。

（……ん？　この人、どこかで……）

紳士は50代ぐらいの白人で、パナマ帽をかぶり、黒ぶちメガネをかけていた。

麻のスーツをイキにきこなすそのすがたは、いかにも富裕層といった雰囲気である。

未知人は、その顔に見おぼえがあった。

「わたしはキミのお父さんのファンで、ときどき調査の依頼をさせてもらってる者だよ」

「えっ、じゃあ、あなたが……大口のスポンサーさん？」

「はは、まあ、そんな大それた者ではないけどね」

紳士はそういったが、未知人や父・豪にとって、スポンサーは大きな存在だ。

今回もスポンサーから依頼された案件だったので、ふたりは三ツ星クラスのホテルに宿泊し、財布の中身を気にせず、豪華な食事にありつけている。

「ちょうどよかった。これを、お父さんにわたしてくれるかな。以前、お父さんからたのまれていた、ある人物に関する資料だよ」

紳士はそういって、水色の大ぶりな封筒を未知人にわたしてきた。

「あ……はい」と、それをうけとる未知人。

「じゃあ、よろしくね」

紳士は、笑顔で去っていった。

そのうしろすがたを見おくって、未知人はハッとしながら、つぶやく。

「ステファン・ゲイト……」

紳士の顔に、見おぼえがあるのもとうぜんだった。

紳士は、**IT界の超大物、**ステファン・ゲイトだったのだ。

未知人はその顔を、いきの飛行機のなかでも目にしていた。機内におかれた経済誌の表紙を、ゲイトは飾っていたのだ。

（まさか……あのステファン・ゲイトが父さんのスポンサーだったなんて……）

豪はスポンサーのことを「自分の動画のファン」、「オカルトマニアの物好き」としかいっていなかった。

胸の鼓動がはげしくなり、さまざまな疑問が頭のなかを渦まく。

父は、なぜスポンサーがゲイトであることをかくしていたのだろう。

そして、ゲイトは、なぜ父に仕事を依頼するのか？

たんなるオカルトマニアと考えるには、あまりに大物すぎるあいてだった。

「未知人、ここにいたのか」

そのとき、一方から、父・豪がかけよってきた。

「とつぜんいなくなったんで、心配したぞ」

未知人のことをさがしまわっていたのか、豪は息をきらしていた。そんな父に、未知人は、失踪したタレントの手塚直也らしき人影を見かけたことを話す。

「マジか！　本当にあの手塚直也だったのか⁉」

「よくわからない。追いかけたけど、みうしなって……」

未知人はこたえる。

「ああ、それと、これ……父さんのスポンサーって人からあずかった」

未知人は、豪に水色の封筒をわたし、さぐるような目で父の顔をのぞきこんだ。

「おお、ゲイトさんに会ったのか」

「やっぱり、あの人、ステファン・ゲイトだったの？」

「ああ、そうだよ。ゲイトさんは意外にオカルト好きでね、父さんの動画は依頼したもの以外にも全作見てくれてるんだそうだ」

どうやらゲイトがスポンサーであることを、意図的にかくしていたわけではないようだ。

「あの人には、いつも感謝してる。**ゲイトさんだけに、スゲーいい人〜?**」

豪は、微妙なダジャレをいったあと、無造作に封筒を開ける。

封筒のなかには、何枚かの写真がはいっていた。

写真を見て、未知人は、またしても心臓がとまるくらいにおどろく。

うつっていたのは、未知人がルーマニアのホィア・バキュー・フォレストで出会った、あの軍服すがたの男だったのだ。

「父さん、その写真……」

「ああ、この男のことをある筋にたのんでしらべてもらってるって、いっただろ?」

「そのあいてがステファン・ゲイトだったの!?」

「ゲイトさんのところには、**世界一の高性能をほこるAI**があるからな。もし実在していたのなら、ビッグデータのなかにヒットする情報があるかもしれないと思って」

写真がとられたということは、軍服男は実在しているのだろう。

◀ネコの地上絵

未知人は、軍服男の写真を手にとり、まじまじと見つめた。

写真の背景には、小高い丘がうつっている。

丘の斜面には、まるで子どもの落書きのような、巨大なネコの絵がかかれていた。

「まるでマンガみたいだけど、このネコの絵もりっぱな地上絵さ。2020年に発見され、世界遺産にも登録されたんだ。ほとんど消えかけていたものを修復し、復元したらしい」

父・豪の解説をきき、未知人は胸の鼓動がはげしくなった。

「背景に地上絵がうつってるってことは、写真がとられた場所は、ここ、ナスカだよね？　つまりあの軍服男も、ナスカにきていたってことか」

封筒には地図も同封されていて、その一点に、×印が書かれていた。

この×印がなにを意味するものなのかはわからない。

だが、軍服男、もしくは今回の騒動となにか関係がある可能性は大いにあった。

「ねえ、今からいってみようよ、この場所に」

未知人は、いても立ってもいられない気持ちになり、父・豪をせきたてた。

未知人と豪は、ホテルでひろったタクシーにのって、地図上の×印がついた場所へとむかう。ネコの地上絵がかかれた丘の前をとおりすぎ、しばらく走ったところで、豪はタクシーをとめた。

「たしかこのあたりのはずだが……」

周囲には、ネコの絵の丘と似たような、小高い丘が点在している。

未知人と豪は、手がかりをもとめて、丘のひとつに登ってみた。

頂上にたどりつき、あたりを見まわす。しかし、手がかりらしきものはなにもない。

すでに夕日は地平線の彼方にしずみかけている。

「高い場所にくれば、なにかわかると思ったんだけどなぁ……」

ため息をつく豪に、未知人はいった。

「でも、ゲイトさんがわざわざ地図に印をつけてわたしてきたんだから、きっとなにかあるはずだよ」

丘の下に、ぽつんと人影が見えたのは、そのときだった。

（……だれだろう？）

未知人は目をこらす。

人影はじょじょにふえていき、総勢50人ほどの大集団となった。

やってきたのは、若者たちだ。南米系の若者もいれば、西洋人、東洋人もいる。

それぞれ頭にヘッドライトをつけ、シャベルやツルハシを手にしていた。

若者たちは、ぞろぞろと丘を登ってくる。

丘の中腹付近までやってくると、手にした道具で溝をほりはじめた。

「アイツら、なにやってるんだ？」

「もしかして……地上絵をかいているのか!?」

豪は興奮したようすでさけぶと、溝をほる若者たちを動画にとりはじめた。

未知人は、すくなからずショックをうける。

（まさか……アンナがいっていたように、今回の騒動のしかけ人は、ヒマをもてあました若者たちだったのか!?）

しかし、よく見ると、若者たちは、拡大法を使っていなかった。まるで完成予想図が頭のなかにあるかのように、それぞれ、むだのない動きで、ひたすら作業をつづけている。

「あのぅ、ちょっとすいませーん。キミたち、いったいここで、なにやってんのかな～？　もしかして地上絵なんかかいちゃったりしてる～？」

豪は、若者たちに英語で話しかけた。しかし、だれひとり反応をしめさない。

豪は、日本語やスペイン語や中国語でも質問を投げかけたが、結果はおなじだった。

若者たちは、みな、まるで夢遊病者のような、うつろな目をしている。

そして、ロボットのように、もくもくと作業をつづけていた。

しばらくして、彼らはピタリと動きをとめた。

どうやら、地上絵が完成したようだ。

未知人と豪は、絵の全体像を見ようと、丘の下におりていく。

「この絵……犬の地上絵？　……あ、でも、ツノがはえてる」

▲犬の地上絵

「こりゃ、バーゲストだ」

豪はいった。

「イギリスの民間伝承にでてくる黒犬のすがたをした不吉な妖精だ。ブラックドッグ――死を告げる魔物ともよばれている」

「死を告げる魔物……？」

新しくかかれた地上絵は、またしても『死』を象徴する不吉な絵だった。

見あげる未知人の横顔に、不安が走る。

（それにしても、ゲイトさんはなぜこの場所に地上絵がかかれることを知っていたんだろう……？）

やはり、ただのオカルト好きではないと、未知人のなかにゲイトにたいする疑惑がふくらんでいく。

そのとき、若者の集団が斜面をおりてきて、ぞろぞろとこちらにやってきた。

そのなかのひとりの顔を見て、未知人はハッとする。

（こんどこそ、まちがいない……）

「手塚直也さんですよね？　タレントの」

未知人が声をかけると、直也は、おどろいたようすで立ちどまった。

そして、あたりを見まわし、ぼうぜんとする。

「えっ……ここはどこ!?　オレなんでこんなとこにいんの!?」

どうやらなにもおぼえていないらしい。ここで地上絵をかいていたことも、生放送中にスタジオをぬけだしたことも、直也はいっさい、記憶していなかったのだ。

「ヤバい、どうしよう。事務所になんていいわけすれば……」

両手で頭をかきむしる直也。

その左手の甲には、1センチくらいの小さなキズあとがあった。

「そのキズ、どうしたんだ？」と、こんどは豪がたずねる。

「えっ、キズ!?」

直也は、まじまじと自分の左手の甲を見た。

どうやら、キズができたときの記憶もないようだった。

ヴーン、ヴーン

ききおぼえのあるあの音がきこえてきたのは、そのときだった。

人なみはずれた聴覚をもつ未知人にしかききとれない、かすかな音——。

しかし、直也にもその音がきこえているようで、うつろな目をしながら、音のするほうにむかって、ふらふらと歩きだす。

「手塚さん、どこいくんですか!?　手塚さん!?」

未知人は、あとを追いながらさけんだが、直也はなにもこたえない。

その表情は、まるで意志のないゾンビのようだった。

「よんでもむだだよ」

未知人は、ハッとしてふりむく。

背後に、あの軍服すがたの男が立っていた。

いつのまにか周囲の空間が、特殊なレンズをとおして見たときのように、ぐにゃりとゆが

んでいる。そして、空間のなかには、軍服男と未知人――ふたりだけがいた。

「これはたんなる実験だ。これからはじまる壮大な物語のほんの序章にすぎない」

軍服男は、口元に笑みをうかべながら、流暢な日本語でつぶやく。

「実験って、どういうことだ!?　手塚さんたちをあやつって地上絵をかかせたのは、あんたのしわざなのか!?」

未知人は、こぶしをにぎりしめながら、問いかえした。

しかし、軍服男はそれにはこたえず、未知人を見つめたまま、ほほ笑んでいる。

アジア系の見た目、年齢は、17歳くらい、まるでこの世のものとは思えない、うつくしい顔――ルーマニアの森で出会ったときの記憶が、未知人のなかにまざまざとよみがえった。

「ボクの名は幻。まぼろしと書いて幻だ。おぼえておくといい」

幻と名乗る男は、それだけいうと、未知人を指さすようなしぐさをした。

その瞬間、未知人は金縛りにあったように、身動きがとれなくなる。

「ううっ……父さ……ん……」

まるでさめやらぬ悪夢にのみこまれたかのように、未知人は苦しみ、もがいた。

「未知人⁉　おい、未知人、どうしたんだ⁉」

父・豪の声に未知人はわれにかえった。

いつのまにか金縛りは解け、あたりの空間も元にもどっている。

そして、幻のすがたも、若者たちのすがたも消えていた。

未知人は、ようやくとりもどした声でつぶやく。

「……あの男がいたんだ」

「え？」

「軍服をきたあの男だよ！　名前は幻……まぼろしと書いて幻……」

「げん……そいつは、おまえにそう名乗ったのか⁉」

豪が、未知人の目をのぞきこむ。

未知人はうなずき、汗ばんだ自分の手に目を落とした。

「……さっきまでオレは、ヤツがはった結界のような異空間のなかにいた……」

「そうだったのか!? おまえがとつぜん消えたんで、オレはまた10分も、あちこちさがしまわっていたんだぞ?」

「えっ、10分だって!?」

未知人が幻と異空間のなかにいたのは、ほんの1分足らずだったはずだ。

しかし、もどってきたのは、10分後の世界――。

(幻は、時間も空間も自在にあやつれるのか!?)

未知人は、めまいを感じ、フラリとよろめく。

「だいじょうぶか!?」

豪はさけびながら、未知人を抱きかかえた。

「父さん……幻はおそろしいヤツだ。人間ばなれしたワザをつかい、人を意のままにできる。手塚直也も、大勢の若者たちも、みんなヤツにあやつられていたんだ!」

しかし、幻はなぜ若者たちをあやつって、こんな不吉な地上絵をかかせたのだろう。

(もしかしたら……これは警告というより、予告?)

死をよぶ不吉な鳥、カラス。

死を告げる魔物、バーゲスト。


ふたつの地上絵が暗示する未来に、未知人は戦慄をおぼえた。


ナスカでの取材をおえ、日本に帰国した未知人と豪。

豪が配信した動画は、大いに反響をよんだ。

「バーゲストの地上絵をかく若者たちのすがたを、一部始終、撮影できたからな！　見ろ！

驚異の再生回数をたたきだしたぞ！」

豪が興奮したようすで未知人に告げる。

しかし、コメント欄を見ると――。
《新しい地上絵は、ヒマなヤツらのイタズラ？》
《世界遺産にたいする冒瀆よね》

《でも、これ、すごくない？》
《これだけの人数、どうやってあつめたんだろ？》
《SNSかなにかでよびかけたんじゃない？》

おおかたの視聴者はアンナとおなじように、この騒動をヒマな若者たちがおこした、たんなるイタズラと考えているようだった。

手塚直也も、なにごともなかったように芸能界に復帰してくる。

「すいません。オレちょっと病んじゃって……ご迷惑をおかけしましたが、もうすっかり元気ですぅ～」

直也は、失踪の理由を「心身症」と語る。

そして、真実は、すべて闇のなかへと葬りさられたのだった。

2 テレ湖の怪物

コンゴ共和国

1776年。フランス人宣教師のリーバン・ボナバンチュール・プロワイヤールは、お供の者たちと**アフリカ・コンゴ王国**（現在のコンゴ共和国）のジャングルの奥地に足をふみいれた。

テレ湖とよばれる、直径6キロくらいの、まるい湖の近くにやってきたとき、プロワイヤールは、ふと足をとめた。

目の前の道に、直径30センチほどの穴が、点々とつづいていたのだ。

「これはなんだ!? まさか、なにかの生き物の足あとなのか!?」

足あとの間隔は、2メートル。生き物だとしたら、かなりの大きさだ。

「もしかして、ゾウの？」

「いや、でも、この足あとには、ゾウにはないするどいツメが3本あるぞ！」

「だったら、カバの足あとだろ」

「いや、カバにしては歩幅が大きすぎる」

原住民のピグミー族にたずねたところ、それはテレ湖にすんでいる**モケーレムベンベ**という名の怪物の足あとだという。

▲テレ湖のまわりで発見された
直径30センチほどのモケーレムベンベの足あととされるもの

モケーレムベンベとは、「川をせきとめるもの」という意味らしい。

その怪物は、ふだんはテレ湖の水中の洞窟にすんでいて、日中、岸辺にあらわれては草木を食べあさる。気性があらく、カヌーを転覆させてのっている人を水死させることもあるという。しかし、人を食べることはないらしい。

「その怪物は、どんなすがたをしてるんだ!?」

プロワイヤールがたずねると、原住民は棒で地面に怪物の絵をかいた。

当時の人びとは、恐竜というものの存在を知らなかった。

でも、現代人がその絵を見たら、きっと口をそろえてこういっただろう。

「ブラキオサウルスだ!」

コンゴの奥地にすむ謎の生き物は、恐竜の生きのこりである可能性が高い。

このできごとをきっかけに、数々の調査隊がモケーレムベンベの正体をさぐろうと、テレ湖をおとずれた。

そして、数々の目撃談が報告された。

1983年、コンゴ政府から派遣された調査隊もモケーレムベンベ

◀モケーレムベンベをとらえたとされている写真

を目撃し、そのすがたは中生代に栄えた四つ足の草食恐竜に酷似していたと報告している。

そして、2002年には、アメリカ軍の特殊部隊がオスメス2頭のモケーレムベンベを捕獲し、強力な麻酔弾を撃ちこんで軍用の大型ヘリコプターで船にはこび、アメリカ国内へつれ帰ったという。

現在、この2頭は、ある軍事施設の地下で飼育され、遺伝子分析などの研究がおこなわれているというウワサだが……。

「はい、ミステリーガイド・ゴウです！　今、わたしが立っているのは、アフリカの**コンゴ民主共和国**にあるムバンダカ空港前。**これからむかうのは、テレ湖という湖です！**　テレ湖といえば、ウワサの怪物、モケーレムベンベがいることで有名なんですね～。しかし、その湖はジャングルの奥地の、そのまた奥地にあり、いくのがチョー大変なんですぅ～…。はっきりいって……生きて帰れる保証はありません！　**コンゴだけに、『今後』もわたしが生きて活躍できるように祈っていてください！**」

未知人がまわすビデオカメラの前で、父・豪が緊迫した雰囲気のトークをくりだす。

豪は、世界中にファンをもつ超人気のオーチューバー。

いつもならファンがよってきてとりかこまれるところだが、このとき、豪のまわりに群がってきたのは、なにやら気むずかしい顔をしたオジサンたちだった。

「オーチューバーに転職とは、世開豪も落ちぶれたものだな」

オジサンのひとり、太った体つきの男が、豪にむかってイヤミをいう。

「これはこれは、**古井教授**、おひさしぶりです。おかげさまで大学にいたころより儲かってますよ」

豪が笑顔でいいかえすと、古井教授の助手のひとり、若い男が小声でつぶやいた。

「セカイの千怪奇ちゃんねるですよね？　ボク、登録してます……」

「渡辺くんっ！」

古井教授は若い助手をとがめ、豪を指さしながらいった。

「世開くん、キミは帝王大学のツラ汚しだ！　恥を知りたまえ！」

助手たちをひきつれ、その場を去っていく古井教授にむかって、豪は毒づく。

「ったく、大名行列かっつーの！」

「父さん、今の人、だれ？」

未知人がたずねる。

「オレが大学にいたころの知りあい。考古学科の主任教授だ」

7年前、**豪の妻である結**が謎の光にさらわれ、失踪したのをきっかけに、豪はそれまで勤めていた帝王大学をやめ、オーチューバーに転身した。

「ネットでキレ味のいいダジャレを連発しながらオカルトネタの動画を配信するオレのことを、『学者としてあるまじきすがた』、『大学の恥』なんて、非難するヤツもおおくてな」

「気にすることないんじゃない。父さんは、大学教授よりオーチューバーのほうが性にあってる気がするよ」

「うん、そうだな。あんな堅苦しい連中といるより、オーチューバーとして、おまえと世界をかけめぐっているほうがよっぽど楽しい」

豪は気をとりなおし、「よし、いくぞ」と、未知人をうながす。

「いざ、テレ湖へ、テレッツ・ゴーだ!!」

ムバンダカ空港からテレ湖にいくには、まず車で176キロ先にあるエペナという町にむかい、そこからリクアラ川をくだって湖の南東にあるボア村へいく。

そこから先は、ジャングルの道なき道をひたすら歩かなくてはならない。

レンタカーでほこりっぽい道をドライブしながら、未知人は豪にたずねた。

「今回の仕事も、ゲイトさんがスポンサーについてるの？」

豪は運転しながら、「ああ」と、うなずく。

「じつは2週間ほど前、**アメリカの古生物学者ジョーンズ博士**という人が、テレ湖に調査にでかけ、『モケーレムベンベを見た』というメールを最後に行方不明になったらしいんだ。ジョーンズ博士はゲイトさんの友人で……モケーレムベンベを調査するついでに博士の行方もさがしてほしいといってきた」

「それは、警察にたのんだほうがいいことだよね。なんで父さんに依頼してきたんだろ。なにか、警察にたのめない事情でもあるのかな？」

「さあ、オレにもよくわからん。……ま、報酬はいつもの倍くれるっていうし、オイシイ話だろ？　そのうえ、モケーレムベンベのすがたをビデオカメラにおさめられたら、動画の再生回数もスゴイことになるぞ～！　**モケーレムベンベの動画でひと儲ケーレ！**」

豪はそういってわらうと、アクセルをふみこんだ。


エペナに到着したとき、すでに日はくれていた。

水や食料を仕入れて、この日は町なかのホテルに1泊する。

スポンサーがついているので、三ツ星クラスの高級ホテルに泊まることも可能だが、ここにはそんなホテルは一軒もない。未知人と豪は、ひなびたホテルにチェックインしたあと、近くのレストランで夕食をとった。

テーブルには、豪が注文したムアンバとよばれるピーナツいりのピリ辛シチューと、リボケというバナナの葉に魚介をつつんで蒸し焼きにした料理がはこばれてくる。

「たくさん食っとけ。ここから先、マトモな食事にありつけるとはかぎらんからな」

父にいわれ、未知人は目の前の料理を口にしはじめた。

リボケは、魚介のうまみがつまった、文句ない味だ。ピーナツいりのシチューも、辛いが、ほんのりとしたあまさがあり、なかなかのおいしさだった。

翌日からは、モーターつきのカヌーで川を移動する。とくにこのあたりはレンタルショップというものはないので、カヌーは地元の人と交渉して貸してもらうしかない。

豪が地元住民に身ぶり手ぶりをまじえた英語で話しかけると、

「いやあ、２週間くらい前からカヌーを借りる人が急にふえちゃってねぇ……」

などと、地元住民はボヤく。

しかし、どうにか交渉はまとまり、最後にのこったカヌーを一艘、貸してもらえることになった。ところが……。

「まちたまえ」

そこに割りこんでくる者がいた。あのイヤミな古井教授である。

「そのカヌーは、われわれが借りる。テレ湖の近くで新しい遺跡が発見されて、これから、その発掘にむかうのだ」

「いや、でも、こっちが先に借りる約束をして……」

「われわれのミッションは、世界的に重要な文化遺産の発掘調査だ。キミたちオーチューバーのザレゴトとはまったくレベルがちがうんだよ！」

古井教授は高飛車にいうと、カヌーの持ち主と交渉をはじめる。

「レンタル料を倍払う。だから、そのカヌーを貸してくれたまえ」

「だったら、わたしは、その10倍のレンタル料を支払うわ」

一方から、またべつの声がひびく。声の主はアンナだ。かたわらには、執事・アーサーのすがたもあった。

「なにをいってるんだ！　こっちは世界的に重要な……」

あわてる古井教授に、アンナはキッというまなざしをむける。

「アナタ、なにサマだか知らないけど、オーチューバーをバカにするのは、許さなくってよ！」

結局、カヌーはアンナたちが借りることになり、古井教授はブツクサと文句をいいながら、助手たちをひきつれ退散していった。

「あんたたちものっていいわよ」

アンナが未知人たちにいう。上から目線の態度には少々ムカついたものの、ここでことわったりしたら、またどこでカヌーを手にいれられるかわからない。

未知人と豪は、すなおに同乗させてもらうことにした。

未知人、豪、アンナ、アーサーの4人は、モーターつきカヌーで川をくだりはじめた。

カヌーは、10人のっても余裕があるほどの大きなサイズだが、アンナたちが持参してきたくさんの荷物で船内は埋めつくされている。

「ったく、ただでさえせまいカヌーが、あなたたちがのったせいで、ますますせまくなったわ」

文句をいいながらもアンナは、いつもよりテンション高く、ごきげんなようすだ。

まるで未知人たちと同行できることを楽しんでいるかのようなアンナ。

「わあ、見て！　カバよ！　カバがいるわ！」

大はしゃぎするアンナの横顔を見つめ、未知人はふと思った。

（コイツ……ふだんはツッパラかってるけど、案外ふつうの女の子なのかもしれないな）

すると、アンナが未知人の視線に気づいた。

「なに見てんのよ？」

未知人は、とっさに誤魔化す。

「いや……まさかとは思うけど、きみもモケーレムベンベの取材にいくのか？」

「そうよ。わるい？」

未知人は、ゴスロリドレスにバレリーナのような靴をはいたアンナに目をやる。

「その格好じゃムリだろ。カヌーでいけるのはボア村までで、その先はジャングルのなかをかなり長い距離歩くことになるんだぞ？」

「わたし、歩くつもりなんかないもの。輿にのってはこんでもらうのよ」

「はぁあ？　はこぶって、だれが？　まさかアーサーにはこばせるのか？」

「ボア村で現地の人をたくさんやとうわ。荷物もぜんぶもってもらうつもりよ」

それをきいて、未知人はあきれる。

アンナを一瞬でも、ふつうの女の子などと思ったのはまちがいだったと、思いなおした。


ボア村につくと、アンナとアーサーは、現地の人をやとうための交渉をはじめた。

ところが、村人たちは、みんなテレ湖にはいきたくないという。

「彼らが見はっている。テレ湖にいけば、この村に災いがふりかかる」

村の長老は、カタコトのフランス語でそうこたえた。

「彼らって、だれなの!?　災いがふりかかるって、どういうこと!?」

アンナは食ってかかったが、長老は口をつぐみ、それ以上はなにも語らなかった。

「おじょうさま、今回の調査はあきらめましょう。おじょうさまの身になにかあったら、わたしはだんなさまにあわせる顔がありません。帰りましょう」

アーサーもそういって、アンナをうながす。

しかし、アンナは、かたくなに首をふった。

「いいえ、ここまできたんだもの。絶対にあきらめないわ！　モケーレムベンベとやらの正体をつきとめるまでは、わたし、帰らなくってよ！」

アンナは、自力でジャングルを歩いてテレ湖までいくといいはった。

ジャングルの道はぬかるんだ赤土で、進むにつれ、水たまりのような湿地帯になっていく。

旅なれた未知人にとっては、なんてことない道だったが、その足どりは重かった。

人なみはずれた聴覚をもつ未知人は、ジャングルのなかにひそむ『ナニか』の気配に気づいていたのだ。

『ナニか』は、複数いた。ジャングルのいたる場所から、こちらの動きを見はっているようにも思えた。

（なんなんだ、いったい……？　村人たちがおそれていた『彼ら』とは、この気配のことだったのか？）

未知人が足をとめ、あたりを警戒していると、アンナがとつぜん、悲鳴をあげた。

「きゃあああっ、虫、虫よ！　あっちには大きなヘビもいるわ！」

しばらくしてアンナは、ゼーゼーハーハーと、肩で息をしはじめる。

そして、ついにはその場にへたりこみ、「やっぱり帰る」といいだした。

「モケーレムベンベなんて、どうせ正体は大きなトカゲかなにかよ。そんなもののために、こんなしんどい思いをするなんて、バカバカしくなってきたわ」

「いや、モケーレムベンベは、トカゲじゃない」

未知人は反論する。

「へえ、ずいぶん自信たっぷりね。そういいきれる証拠でもあるというの？」

「証拠は、1980年にシカゴ大学のロイ・マッカル博士が提出した調査報告書さ。博士は、テレ湖周辺で原住民のピグミー族から目撃情報をあつめたんだ。そのなかのひとつに、モケーレムベンベを捕獲したという話がある」

1959年、モケーレムベンベが周辺の川に出没し、ピグミー族の村人の生業である漁業のじゃまをした。

そこで村人たちは、その怪物をとりかこみ、次々と槍でつき刺したという。はげしい格闘のすえ、なんとかしとめると、村人たちはみんなで獲物を解体し、その肉を食べたらしい。

すると、異変がおこった。肉を食べた村人たちが、次々と悶死してしまったのだ。唯一たすかったのは、たまたま外にでかけていた少女ひとりだけだったという。

「モケーレムベンベの肉には、毒があったんだ。それこそが、モケーレムベンベは恐竜であるという証拠だよ」

「は？　どうしてそういう結論になるの？」

◀村人たちがモケーレムベンベと戦ったようすをかいたとされるイラスト

アンナは、片眉をつりあげる。

「知らないのか？　草食恐竜がエサとしている被子植物のなかには、アルカロイドなどの毒をもつ種類もあるのさ。だが、恐竜は味覚が発達していないから、毒のない植物をえらんで食べることができない。その体内には、毒が蓄積されていたんだ。恐竜が絶滅したのは、そのためだったという説もある」

「はは、おもしろい仮説ね。でも、だから、毒のあるモケーレムベンベは恐竜だっていうのは、こじつけもいいとこなんじゃない？」

「こじつけかどうかは、この目でたしかめてみなけりゃわからない。だから、オレはいく。たしかめないかぎり、真実は永遠に闇のなかだからね」

未知人はそれだけいうと、豪とともにふたたび歩きだした。

すると、それまでへたりこんでいたアンナが、すっくと立ちあがる。

「まって！　わたしもいくわ！」

アンナは、必死に未知人たちを追いかけはじめた。

「アナタたちだけに真実をひとりじめされて、たまるもんですか！　すべてを科学で立証してみせるんだから！」

アンナは、何度もころんでゴスロリドレスを泥まみれにしながらも、歯を食いしばり、60キロもの道を歩きつづけた。

見あげた根性だと、未知人は内心思う。アンナのことをすこし見直す気にもなった。


そして、４人は、ついにたどりついた。

目の前には、うつくしい湖の景色がひろがっている。

テレ湖は、ジャングルの真ん中におかれた一枚の丸い鏡のようだった。

湖面は周囲の景色をうつし、緑色にかがやいている。岸辺には、名前も知らない黄色い花がたくさんさいていて、湖面に落ちた花が湖の緑と絶妙なコントラストを見せていた。

「わあ、きれい！」

◀テレ湖の湖面

景色に見とれるアンナとは対照的に、未知人は無言だった。

得体の知れないナニかの気配は、ここ、テレ湖にきて、ますます強く感じられるようになったのだ。

「父さん……」

未知人は、気配のことを父・豪に告げようとした。

すると、豪もうなずきながらいう。

「うん、オレも気づいてたぞ」

「えっ、父さんも？」

「ああ、あそこに見えてるの、もしかしたら……モケーレムベンベじゃないかな」

「えっ……」

豪が指さした先には、見ようによっては恐竜のようにも見える、首の長いシルエットがあった。

「あれがモケーレムベンベ!? ウソよ、きっと流木かなにかだわ！」

近づいて正体をたしかめようと思ったのか、アンナはジャブジャブと湖にはいっていく。

「バカ、もどれ！」

未知人はさけびながら、アンナを追いかけた。

そのとき、首の長いシルエットがスーッと湖のなかに消え、灰色の影となって、ぐんぐんこちらに近づいてきた。

「わあ、動いた！ やっぱりなにかの生き物!? ヘビ？ それともトカゲかしら？」

アンナがそうつぶやいた次の瞬間、湖のなかから大蛇のような、長いなにかがはねあがってきた。そして、アンナを一撃する。

「きゃあああああっ!!!」

アンナは、悲鳴をあげながらとばされていった。

「アンナ!!」

未知人は、バシャバシャとアンナにかけよると、その体を抱きあげる。

「おじょうさま、だいじょうぶですか!?」

豪とアーサーも救出にかけつけ、３人がかりでアンナを岸にはこんだ。

「い……今のはなに!?　わたし……どうしたの!?」

アンナは、カタカタとふるえながら、つぶやく。

「きみは、なにかの生き物のシッポにふりはらわれたんだ」

「シッポ!?」

「ああ。大きさから考えて、モケーレムベンベである可能性も高い」

「はあぁ!?　なにいってんの!?　恐竜の生きのこりなんているわけ――」

そういいかけて、アンナは苦痛に顔をしかめる。

どうやらシッポにふりはらわれたとき、左足を強く打撲したようだ。

骨折するほどの大きなケガではなかったものの、アーサーからドクターストップがかかり、アンナはここで退場することとなった。

「いやよ、わたし、帰らないわ！」

アンナは最後まで抵抗したものの、足の痛みで、もはや歩くことも困難なようす。

アーサーにおぶわれて、泣く泣くきた道をひきかえしていく。

「たすけてくれえぇぇ!!」

ジャングルのなかから、さけび声がきこえてきたのは、そのときだった。

「おい、未知人、だれかがさけんでるぞ!」

「とにかく、いってみよう!」

未知人と豪は、声のするほうへとかけだしていった。

声のする場所にたどりつくと、そこには、2頭の巨大な怪物が暴れまわっていた。

体長は、15メートルほど。

体全体が灰色がかった赤茶色で、長い首とシッポをもち、頭に短いツノがある。

怪物というよりそのすがたは、子どものころ未知人が図鑑で見た恐竜そのものだ。

「モケーレムベンベ……」

未知人はつぶやく。もはや疑う余地などなかった。

豪は、興奮したようすでビデオカメラをかまえた。

「未知人、こいつはスクープなんてもんじゃない、大スクープだ!!」

豪が声をはりあげた、そのときだった。

「ひいいいいい〜〜っ、たすけてくれぇぇ〜〜っ!!」

泣きさけぶ声がきこえてきた。先ほど、たすけをもとめていたのと同じ声——。

さけんでいるのは、古井教授だった。教授は、モケーレムベンベたちに襲われそうになっていたが、その場にへたりこんだまま、動けずにいる。腰をぬかしてしまったのだろうか。

どうやら失禁もしているようで、ズボンの前が濡れていた。

「教授、しっかりしてください!」

助手たちは教授を立ちあがらせようとしていたが、100キロをこえる巨体はなかなかもちあがらない。

「未知人、今の、見なかったことにしちゃダメか?」

豪は、未知人に耳打ちする。

「気持ちはわかるけど……アウトだろ、人道的に」

豪は「しぶしぶ」といった顔で未知人にビデオカメラをわたし、棒を手にする。

「しっ、しっ、あっちへいけ！」

手にした棒でモケーレムベンベたちを威嚇する豪。

すると、モケーレムベンベたちは、こんどは豪にむきなおった。

「しめた！　今のうちに教授を！」

助手のひとりがさけぶ。

「はやく！　みんなにげるぞ！」

どうにか立ちあがらせた古井教授を両側から抱きかかえるようにしながら、助手たちは、あわてたようすでその場からにげだした。

古井教授が「渡辺」とよんでいた若い助手だけは、タブレットで動画を撮りながらその場にとどまっていたが……。

「なにやってるんだ、はやくしろ！」

ほかの助手に手をひっぱられ、「すいません」と、豪にあやまりながら走り去っていく。

「おぉい、たすけてやったのに、ありがとうの一言もなしか!?」

豪は、あきれながら、にげていく一同の背中にむかってさけんだ。

そのとき、2頭のモケーレムベンベが両側から豪に攻撃をかけてきた。

「こらっ、2頭ではさみうちとは卑怯だぞ！」

豪は2頭のあいだをかろうじてすりぬけたが、ぬかるみに足をとられて、ころんでしまう。

「いって〜！　すべって、ころんで、は〜寒みィ〜。はさみうちだけに！」

こんなときにダジャレをいえる父・豪の神経が、未知人には信じられない。

案の定、モケーレムベンベたちは、たおれた豪に大口を開けてせまってきた。

「父さん!!」

絶体絶命の危機——そのときだった。

「ほらほら、こっちにおいしい実があるぞ〜〜！」

だれかが英語でそうさけびながら、モケーレムベンベたちに球状のなにかを投げてきた。

声の主は、ぼろぼろの服をきた、やせた白人男性だ。

黄緑色の、桃のような果実をたくさん手にしている。

「この実はマロンボといって、モケーレムベンベたちの大好物なんだ」

白人男性はそういうと、モケーレムベンベたちにむかって次々と実を投げる。

モケーレムベンベたちは、夢中でその実をほおばりはじめた。

「こっちだ！　はやく今のうちに！」

白人男性にうながされ、未知人と豪は、きりたった崖をよじ登る。

そして、高い場所へと避難した。

「体の重いモケーレムベンベは、急斜面が苦手なんだ。ここにいれば、ひとまず安全だ」

白人男性が笑顔でそう告げる。

「あの……あなたは、ジョーンズ博士ですよね？」

豪は、ゲイトからおくられてきた写真と照らしあわせながら、英語でたずねた。

白人男性は「そうだ」とこたえる。彼は、２週間ほど前にテレ湖で行方不明になり、豪がゲイトから捜索をたのまれていた古生物学者だったのだ。

「いったいなにがおきたんですか？」

豪がたずねると、博士は顔をこわばらせながら、こういった。

「今、テレ湖とその周辺で、非常事態がおきている。すべては、彼らのせいだ」

「……彼ら？」

未知人が問いかえすと、博士はすこしためらってからこたえる。

「某国の特殊部隊だよ。……はっきりいってしまえば、わたしの国、アメリカの部隊だ」

２００２年、アメリカの特殊部隊は、つがいのモケーレムベンベを捕獲し、研究のために国内にもち帰ったといわれている。

しかし、ジョーンズ博士によると、じつはモケーレムベンベたちがもちこまれたのは、テレ湖周辺のジャングルの奥地にある研究所だったという。

そこで彼らは、秘密裏にある実験をおこなっていたらしい。

「実験？」

「モケーレムベンベの繁殖実験だよ。恐竜たちを軍事利用するための――」

「軍事利用!?」

未知人はおどろく。

「恐竜たちを訓練して、人を襲う兵器にするのが目的さ。まったくバカげたことだ」

博士は最近になってその事実を知り、実験を阻止するために研究所にのりこんだ。

しかし、軍の兵士らにつかまって監禁されていたという。

「そこで非常事態がおきた。研究所で大繁殖したモケーレムベンベたちがにげだしたんだ」

その騒ぎに乗じて、ジョーンズ博士も監禁場所からにげだしてきたという。

「彼らがやったことは、ゆるしがたい行為だ。生き物を……2億年前から地球に生きている稀少生物を、戦争のために利用するなど……軍と政府の御用学者たちは今、自分たちのおこないの火消しにまわっている。にげだしたモケーレムベンベたちを捕獲するために、ジャングルのなかをかけずりまわっている最中だ」

博士は、重い口調でそう語る。

「……なるほど、そういうことだったんですか」

豪と未知人は、うなずいた。

未知人が感じた気配は、おそらくジャングルでモケーレムベンベたちをさがしていた特殊部隊のものだったのだろう。テレ湖につくなり、いきなり3頭ものモケーレムベンベに遭遇したのも、ジョーンズ博士の今の説明をきけばなっとくがいく。

「おい、未知人、見てみろよ！」

そのとき、豪が崖の上から、眼下に見えるテレ湖を指さした。

そこには、悠然と湖につどうモケーレムベンベのすがたがあった。

1頭や2頭ではない、数えただけでも、7頭はいる。

「まるで映画の世界だな。あまりにスゴすぎて、これをアップロードしても、フェイク映像としか思われないかもしれないが……」

豪はそういいながらも、興奮さめやらぬといったようすで、モケーレムベンベたちを撮影しはじめる。

未知人は、ただただ息をのみ、目の前の光景に見入っていた。

カチリ!

そのとき、背後で撃鉄をおこすような音がした。未知人はハッとする。

モケーレムベンベを見るのに夢中になりすぎて、近付く足音に意識がいかなかったのだ。

ふりむくと、背後には、大勢の武装した兵士たちがいた。

兵士たちは、こちらに銃をむけている。

「は……話しあおう」

豪が口を開いた瞬間、兵士たちのかまえていた銃のひとつが火を噴いた。

ガッシャーン!!

銃弾に貫かれた豪のビデオカメラが、粉々にくだけちる。

豪、未知人、ジョーンズ博士の3人は、こわばった表情で手をあげた。

兵士たちは、3人の身体検査をはじめた。

荷物の中身もぜんぶあらためられ、撮影したデータや映像機器はすべて没収された。

「連行しろ」

未知人たちは、手をあげた状態で、ジャングルのなかを歩いていく。

(もしかして……殺される?)

未知人は、恐怖をおぼえた。

ところが、しばらくいったところで、ジョーンズ博士が「い、痛い……」と、脇腹をおさえ、その場にしゃがみこんだ。

「お、お腹が……しげみの奥で用を足したい。だれかつれていってくれ」

兵士たちはマユをひそめたが、やむを得ずひとりが博士につきそい、ジャングルのしげみのなかへとはいっていく。

すると、1分も経たないうちに、つきそっていた兵士が大声で叫んだ。

「ターゲットを発見!!」

その場にのこっていた兵士たちは、未知人と豪をひきつれ、声のしたほうへとむかう。

声の先には、マロンボの実がたくさんなっている場所があり、何頭ものモケーレムベンベたちがその実をむさぼっていた。

どうやらジョーンズ博士の目的は、兵士たちをこの場所に導くことにあったようだ。

兵士たちがモケーレムベンベの捕獲に夢中になっているすきに、「今だ！」と博士は未知人たちをうながし、その場をにげだしていく。

すでに証拠となるデータや映像機器を没収したせいだろうか。死を覚悟した逃走劇だったが、兵士たちは3人を追ってはこなかった。

またしてもジョーンズ博士の機転のおかげで、未知人と豪は危機をのがれたのだった。

未知人と豪は、ジョーンズ博士とともにきた道をひきかえし、どうにかムバンダカ空港にたどりついた。

空港のロビーで帰りの飛行機をまちながら、豪は放心したようになっていた。

「これがホントの骨折り損のくたびれ儲ケーレ……」

せっかくスクープ映像をものにしたにもかかわらず、豪はそれをネットにあげるチャンスをうしなった。そればかりか、高額の撮影機材もうしなってしまったのだ。

「でも、ジョーンズ博士をさがし当てて、ゲイトさんとの約束ははたせたんだから、よかったじゃない」

落ちこむ豪を、未知人はそういってなぐさめる。しかし、未知人自身も、無念さをこらえきれなかった。そこに、ひとりの若者が近づいてきた。

「世開さんに、おわたししたい物がありまして……」

若者は、古井教授が「渡辺」とよんでいた発掘調査隊の一員。

渡辺が豪にわたしたかった物というのは、USBメモリに保存された動画だった。

「あのとき、タブレットで撮った動画です。2頭のモケーレムベンベと戦う世開さんの雄姿、バッチリうつってますよ!」

「おおっ、すごいじゃないか、渡辺くん! お手柄だ!」

豪は、目をかがやかせる。

「ボクは、あなたのファンです。あのとき、たすけていただいたにもかかわらず、あなたを見捨ててにげてしまったこと、申し訳なく思っていました。これは、ほんのお詫びのしるしです。すこしでもお役に立てれば、うれしいです」

渡辺は、そういって、にっこりとほほ笑む。

豪は、渡辺からタブレットを借りて、USBメモリのデータをさっそく再生しようとした。

ところが、そこに、現地人とおぼしき8歳くらいの男の子がトコトコとやってきて、豪にドンとぶつかる。男の子は走りさり、気がつくと……豪の手から、タブレットとUSBメモリが消えていた。

「しまった！　こらまて！」

豪は、男の子を追いかけようとしたが——。

「追うな!!」

ジョーンズ博士のするどい声がひびく。見ると、ロビーのガラスごしに、こちらをうかがっている数人の兵士たちのすがたが見えた。

「あの子は、兵士たちにやとわれたんだ。動画データをとりかえそうとすれば、キミは殺さ

れるぞ」

ジョーンズ博士のことばに、豪は絶句する。

今回、コンゴで見ききしたことを人に話したり、ネットに公開したりするのも控えたほうがいいと、博士は警告する。命の保証はできないという。

「アメリカに帰国したら、わたしもしばらくは身をかくすつもりだ。キミたちも用心するにこしたことはない」

博士のことばに、一瞬、高揚した豪と未知人の気持ちはすっかりしぼんでしまった。

（……いつだってこうなんだ）

未知人が真実に近づこうとすると、それはスルリと手のなかからにげていく。

（だけど、真実そのものが消えたわけではない……）

未知人たちがアフリカの奥地で目にしたことは、まぎれもない真実だ。たとえ形にはのこらなくても、自分が見たものだけは記憶のなかに刻みつけておこうと、未知人は心にちかうのだった。

3

日本で死んだキリストの墓

日本

「あったぞ……ようやく見つけることができた！」

それは1935年、青森県新郷村でのできごとだった。

木々にかこまれた静かな丘の上、村の旧家である沢口家の墓所の一角。そこにある盛り土を前に、男が嬉々としていった。

竹内巨麿という、その男の手には一冊の古文書。

『竹内文書』とよばれるこの書物にはおどろくべきことが記されていた。

「この盛り土こそまさに、古文書に書かれている、**イエス・キリストの墓だ！**」

男がそう「断定」すると、これまでキリスト教とはなんの関係もなかった村は一躍注目をあつめることとなった。

古文書によると、日本から遠くはなれたイスラエルにあるゴルゴダの丘で磔になって処刑されるはずだったキリストが、じつはこの村にのがれていたという。

さらにキリストはこの地に定住することをきめ、十来太郎大天空と名前を改めた。

そしてミユ子という女性と結婚し、3人の娘を授かって、106歳で天寿をまっとうしたそうだ。

▲イエス・キリスト（中央）
神の子といわれており、十字架に磔にされ処刑後、生きかえったという伝説がある。
生きかえったあとは、弟子たちを祝福し天にのぼったといわれているが…。

この村の旧名「戸来村」も、キリストがヘブライ（古代イスラエル）人であることが由来なのだという。

それまで、代々墓守をしている沢口家をはじめとした村の人びとの間では、この盛り土が、大昔のえらい侍の墓だと伝えられていた。

だから、本来ならば竹内巨麿の主張は、あまりにも突拍子もないものだったはずだ。

ところがふしぎなことに、村人たちはこの説をすんなりと受け入れた。

それから数年後に古文書が戦時中の裁判で偽書と判断され、さらに戦時中の東京大空襲により大部分が焼失してしまったのちにも、この村にはキリストの伝承がのこりつづけたのだった。

竹内巨麿が「発見」してから、墓には大きな十字架が立てられた。

そして山奥の村にはおおくの観光客が訪れるようになった。

毎年6月には「キリスト祭」がおこなわれるようになり、今もつづいている。

また、代々この墓を守ってきた沢口家はキリストの子孫だといわれるようになり、現代までその血筋をのこしている――。

「UFOのうわさがあるこの場所でも、母さんの手がかりは見つからなかった……」

森にかこまれた山道をくだりながら、未知人がつぶやいた。

その表情からは、がっかりしているのが見てとれる。

ただ、歩いていると時おり「クマ注意」の看板があらわれるので油断は禁物だ。

「でも、さっき見たのを巨石群と考えるなら、それなりにおもしろかったぞ。よくあるものでもな」

巨石文明や巨石信仰の遺跡は世界中で見られるものだ。

だから豪が前を歩く未知人の背に投げかけたことばは、ただの気休めである。

ふたりは今、青森県の八戸駅から車で1時間ほどの場所にある新郷村にきていた。

ここはなかなか変わった村で、**「キリストの墓」**があることで知られている。

またそのほかにも、大石神ピラミッドと上大石神ピラミッドという名の奇妙なスポットがあり、ふたりはそれらを見てきたところだった。

ピラミッドというと、エジプトにあるものを思いうかべる人もおおいだろう。巨大な石を四角錐状につみ重ねて作られた古代建造物だ。

しかし、ある研究者の定義によれば、日本にはいくつかの山に、その地形を利用して巨大な石がつまれた場所があり、これもピラミッドであるとされていた。

そして**『竹内文書』**によれば、なんとこの新郷村のピラミッドは**エジプトのものより古く、いまから5万年前につくられたという。**

大石神ピラミッドはいくつかの巨石からなり、それらのそばには、それぞれごていねいに説明が書かれた看板が立っていた。

「太陽石」はかつて太陽の光を反射してかがやいており、太陽信仰につかわれていたそうだ。

「方位石」は1メートルほどの割れ目が正確に東西をしめしている。

「星座石」は星座が刻まれ、「鏡石」には地震でたおれて見えなくなってしまったものの、下の面に古代文字が書かれているという。

また、大石神ピラミッドから林道を600メートルほど進むと、急斜面の山の頂上に上大石神ピラミッドとよばれる巨石がある。登ってみると、あたりを眼下に一望できてながめがよい。

調査によると、これらの巨石がべつの場所からはこばれてきたのはたしかなようだ。

しかし世界中をとびまわっている未知人たちにとって、巨石文明の遺跡というのは、さほどめずらしくなかった。

ただ、それでもここにやってきたのには理由があった。この場所にはＵＦＯの目撃情報が数おおくあるらしい。

そのため、未知人のたっての希望で調査しにきたのだ。

だが、もとめるような成果はあげられなかったのであった。

「……まあ、元々ここにはあまり期待してなかったんだ。ＵＦＯのうわさを知ってる人はいても、じっさいに見た人は見つからなかったし」

未知人は負けおしみのようにいうが、強がりなのはあきらかだ。

「ピラミッドをチラ見ッドしただけになっちゃったもんなぁ。石だけに、テンションがストーンと落ちるのも、むりないか」

「茶化すなよ。父さんだって、母さんをはやく見つけたいんじゃないのか!?」

「そりゃあもちろん。だがな、手がかりが見つからないたびにヘコんでたら、こっちの心がもたないだろう？」

豪がやさしい口調でさとす。

だが未知人にとっては、そうやすやすとなっとくできるものではなかった。

そんな息子の心情を知ってか知らずか、豪は大きくひとつ、ためいきをつく。

「それよりなぁ。さっきのピラミッドだけじゃ撮れ高がビミョーなことのほうがオレは心配だよ。明日の『お祭』で、いい画が撮れればいいんだが……」

「お祭」とは、この地で毎年おこなわれている奇祭「キリスト祭」のことだ。

ここ、新郷村はキリストが死んだ地であるという伝説がのこる奇妙な村だった。

せっかくきたのだから、せめてすこしでも動画のネタになりそうな成果はのこしたい。

未知人は奥歯をかみしめながら、まだあきらめきれない気持ちをむりやりきりかえることにした。

だが、すぐにそんなリキみはぬけることになる。

宿にむかうとちゅう、夕食に立ち寄ったラーメン屋に「キリストラーメン」なるメニューがあったのだ。

どう考えてもキリストとラーメンがむすびつくはずはないのだが、観光地なんかでよくあるナントカ饅頭とか、ホニャララ煎餅みたいなノリなんだろう。

きけば、村の特産品だという長芋や山菜、梅干しのはいった醬油ラーメンなのだという。キリスト要素として、キリストの母・マリアが血をひくとされている古代イスラエルの王・ダビデの紋章、六芒星の形をしたナルトものっているとのことだ。

せっかくだからと、ふたりともまよわず注文したのはいうまでもない。

そぼくな味わいのラーメンをすすりながら、未知人は胸のなかにあった気負いのようなものが、スーッと消えていくのを感じていた。


翌日。

豪の運転でレンタカーを走らせていると、**「キリストの墓」**と書かれた道路案内標識があらわれる。

公共の標識に、オカルトスポットであるはずの名前が書かれていることには、さすがの未知人も少々おどろく。

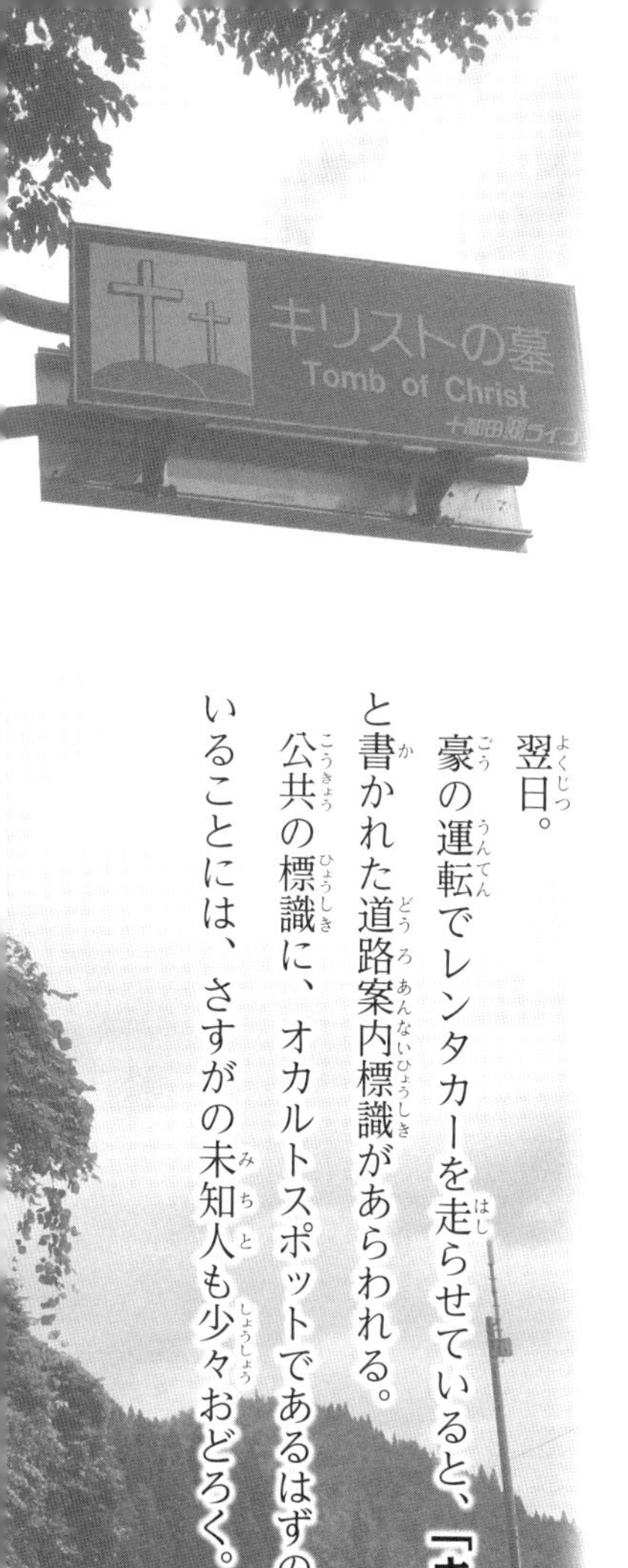

だが、それだけ地元に愛され、根づいている証拠ともいえる。

そんなキリストの墓があるキリストの里公園の駐車場に車を停めると、下車した豪がとつぜん「うおっ！」と声をあげて未知人をよんだ。

「見てみろ、あの売店！」

「なんだよ、父さん……ああっ」

豪の指さす先に建つ小さな売店には、全国展開しているコンビニチェーン店のロゴマークによく似た**「キリストっぷ」**という店名が記されていた。

よく見ると、「営業時間は**十字架ら三時まで**」と書かれている。

「オレ、ここの人と気があいそうだ。それにしても、うまいな……」

感心している豪をよそに、未知人は頭がクラクラしてきていた。

怪奇スポットには、うわさの真偽を問わず、観光地となっている場所が世界中にいくらでもある。ここもそのひとつなのだ。

だがUMAにしても怪奇スポットにしても、茶化してしまうと、とたんに真実味がうすれていく。

新郷村に実際にある
「キリストっぷ」という売店▶

◀「キリストっぷ」の営業時間は十字架ら三時まで

キリストラーメンといい、ダジャレといい、観光客をあたたかくむかえる遊び心といえばきこえはいいが、肝心の伝説はというと、そのぶん、どうしてもうさん臭く感じるようになってしまう。

(……今回の動画は「ネタ回」確定だ。どうせなら村の趣向に身をまかせよう)

未知人がそんなことを考えていると、見なれない動物が売店の脇にいるのを見つけた。

灰色のやわらかそうな毛におおわれた、体長30センチほどのネズミのようなすがた。

クリクリと愛らしい目に大きな耳、ぷっくりとした頬と長いひげ。フサフサした長いしっぽが特徴的だ。

そんな生き物が、売店の外にだしてある、細くカットされた果物を小さな両手で大切そうにもちながら、小刻みにあごを動かして食べている。

「めずらしいな。こんなところにチンチラがいるのか」

「チンチラ? ネズミみたいな見た目だけど」

未知人がたずねると、豪は得意気に解説しはじめた。

「チンチラは南米・アンデス山脈の寒いところでくらす、ネズミと同じげっ歯目の動物だ。東北も寒いから、気候はそれなりにあっているのかもしれないな」

　すると売店のなかから店員のおばあさんが顔をだしたので、未知人は質問する。

「この店で飼っているんですか？」

「いや、そったわげでねんだんだども、いづごろがらがすがた見せるみでぐなってね。めごいすけ、店開げる週末だげエサあげでらのよ」

　未知人は思う。

（すごい方言だ……まあ、ギリギリわかるけど……）

「そうなんですか」

「たぶん、どごがの家で飼ってらったのが、にげだんだが、投げられだんだがしたんでねがしら。でも最近じゃ、ウチのマスコットみだいになってらわね」

　たしかに、観光客ウケもよさそうだと未知人は思った。

　笑顔でこたえるおばあさんのようすを見ても、それなりに愛されていることがわかる。

「さて、そろそろいくぞ、未知人」

「ああ」

ふたりは、いよいよこの日のメインイベントにむかうことにした。

気づけば周囲には、公園への訪問者がふえてきている。

みな、これからはじまる祭を楽しみにしているようだ。


青々としげった木々にかこまれたキリストの里公園の入り口に、祭壇がある。

そしてその前にならぶ貴賓席には、政治家など地元の名士と思われる人びとがすわっている。さらに周囲をとりまく大勢の観光客。テレビカメラをもったマスコミまでいる。

ここにあつまっただれもが、祭のはじまりを今か今かとまっていた。

「この時期になると観光客が何百人もやってくるらしいぞ」

「ふうん」

おおいのかすくないのか、いまいちピンとこない。

そんな顔をしていたのだろう。豪はすぐに補足する。

「あのな、村の住人は2500人くらいだから、観光客が何百人もきたら、けっこうな収入になるはずだぞ」

「ということは、観光地としての戦略は、みごとに成功してるってわけだ」

未知人は合点がいった。

とつぜんこの村にふってわいたような「キリストの墓」伝説を、村人たち自身が本気で信じているかどうかは関係ないのだ。

地方の小さな村は、なにもしなければどんどん人口がへり、活気をうしなっていく。

だからこそ、強力な村おこしの一環として、伝説をうまくつかっているのだろう。

そんなことを考えていると、祭壇のほうに神主が静々とやってきた。

教会の神父のまちがいではない。神社の神主だ。

ピーヒャラドンドン

ピーヒャラドンドン

お囃子が鳴りひびくなか、神主は祭壇にむかって「**かしこみ〜かしこみ〜おまお〜す〜**」と祝詞を唱えはじめる。

未知人(みちと)は再(ふたた)び頭(あたま)が混乱(こんらん)し、めまいをおぼえた。

なにしろ今、目の前でおこなわれているのは「キリスト祭」だ。

それなのに、神社式の祭がおこなわれている。

「なんなんだ、これ……」

「なんでも、はじめはキリスト教の神父さんにきてもらったらしいんだが、キリスト教徒がいない村人にはなじまなくて、この形式になったみたいだぞ」

「……ムチャクチャだ」

未知人は苦笑いをうかべる。

しかし参加者は皆、真剣にこの儀式を見つめていた。

これまで見てきたものを考えるとおどろくほどに、茶化す雰囲気は感じられない。

つづいて参加者によるお祈りがはじまる。

(まさか、この人たちは本当に村のキリスト伝説を信じているのか……？)

未知人はすこし、興味がわいてきた。

そして心のなかで、さっき、今回の動画がネタ回確定だと思ったのを撤回する。

(どんなに突飛な伝説でも、村では長年守りつづけられてきたものなんだ。もしかしたら、本当にキリストと関係があるのかもしれない――）

しばらくし、参加者によるお祈りは、とどこおりなくおわった。

すると、人びとがいっせいに公園のなかへ移動していった。

そこで未知人たちもその流れについていき、丘をあがっていく。

そうして開けた場所に到着すると、木漏れ日の下、「それ」はあった。

こんもりと盛られた土に大きな木の十字架が立てられている。それが、ふたつ。

案内板を読むと、ひとつは「**十来塚**」とよばれるキリストの墓。

もうひとつは「**十代墓**」という、キリストの身代わりとなって死んだ弟・イスキリをまつったものらしい。

イエス・キリストはヘブライの地で神の教えを説いていた。

だが、その教えはローマ帝国にとって都合がわるく、いわれのない罪をきせられて、ゴルゴダの丘で処刑された。

これがキリスト教における、正しいとされている歴史だ。

ところが新郷村に伝わる話では、イスキリが身代わりとなり、キリストは磔からのがれて、はるばるこの地へとわたってきたというのだ。

というのも、この伝説ではキリストが21歳のときに一度この地にきており、神学の修行を33歳までつづけて、伝道のためにヘブライに帰ったとされている。縁がある土地だからのがれてきた、というわけだ。

ただ、イスキリという人物は聖書に登場しない。完全にこの村の伝承のオリジナルである。

また、墓のそばにはイスラエル大使が訪問したことを記念する石碑もあった。

そこで未知人は単純な疑問を口にする。

「宗教の解釈なんて、場合によってはシャレにならない問題になりかねないのに、大使はどんな気持ちでここを訪れたのかな」

「案外、本気で信じたのかもしれないぞ」

「そんなバカな」

「大使に『ここがキリストの墓ですか？』ってきかれた村人が『**イエス！**』ってこたえたから」

そういって得意気な顔を見せる豪。きっとさっきの売店に対抗しているのだろう。

そんな豪を未知人がむししていると、キリストの墓のまわりに浴衣すがたの地元の女性たちがあらわれる。

そして女性たちは、墓を中心に円になって、ふしぎな歌詞の音楽とともに盆踊りをまいはじめた。

ナニャドヤ〜ラ〜

ナニャドナサレ〜ノ〜

ナニャドヤ〜ラ〜

「この歌詞もヘブライ語だっていう説があるみたいだぞ」

豪がビデオカメラをまわしながら未知人に話しかける。

「ヘブライ語だと、どういう意味になるんだ？」

「**『御前の聖名を褒め讃えん。汝の毛人を掃蕩して、御前の聖名を褒め讃えん』。**こういういい方にすると、たしかにキリストを讃える歌詞にきこえるな」

「まあ、そうだけど……」

ただ、この『ナニャドヤラ』は、新郷村だけで歌われているものではない。

青森から秋田一帯に伝わる定番の盆踊りだ。

つまり、ヘブライ語説の信憑性もうすいということになる。

日本の民俗学者・柳田國男もこの歌のヘブライ語説は否定している。

柳田によると、この歌詞の訳は『なんなりとおやりなさい、なんなりとなされませんか、なんなりとおやりなさい』となるそうだ。

もしアンナがここにいたら「なんて設定のあまい伝説かしら!」なんていうだろう。

たしかに、未知人自身もここにくるまでは、この伝説は眉唾モノだと思っていた。

理由はいくつかあるが、一番大きいのはキ

リスト日本渡来説の根拠が竹内巨麿の『竹内文書』しかないことだ。

物事を研究する場合、もっとも信頼できる資料を一次資料とよぶ。

たとえばキリストについて記された一次資料というと、聖書のなかにある、弟子たちがキリストの生涯などをまとめた『福音書』などがそれに当たる。だが、もちろんそこに、キリストが新郷村で修行したとか、磔をのがれたなどという記述はない。

次いで二次資料、三次資料と、信頼できる順番に資料はつづくわけだが、しかし『竹内文書』はそのどれにも当てはまらない。それどころか戦時中の最高裁判所でニセモノの古文書だという烙印をおされている。

これ一冊だけで真実だと信じろというのは、どだい無理があるシロモノなのだ。

ただ、それでもこうして真剣に祭をおこなう人びとがいるのは事実である。

アンナなら「まさか、みなさんは本気で信じてるわけじゃないわよね？」なんて口をはさみかねないようなことでも、そこに、なにかあきらかになっていない真実があるのではないかと考えてしまうのが未知人だった。

「これだから日本人ってふしぎなのよ。だれが祀られてるかもわからないお墓だっていうのに。科学的根拠もなにもあったものじゃないわ」

未知人の頭に、こんなことをいいながらあきれ顔を見せるアンナがうかぶ。

もしかしたらイスラエル大使も、ここに埋葬されているのがキリストだなんて本当は村人のだれひとり信じておらずとも、ただただ先人の霊を敬い祀る田舎の善良な人びとの思いに胸を打たれたから、友好の証を贈ったのかもしれない。

だからこそ、未知人は「それだけではないなにか」を見つけたいと強く思った。


ナニヤドヤ〜ラ〜

ナニヤドナサレ〜ノ〜

ナニヤドヤ〜ラ〜


短い歌詞が延々とくりかえされる。そして女性たちも踊りつづける。

メロディもかんたんなものなので、未知人はすぐにおぼえてしまった。

そうしてしばらく踊りはつづき、やがておわった。

このあと、踊っていた女性たちは広場に移動し、また踊るらしい。

それには見物客も参加できるようだ。

豪が未知人の肩をポンとたたいて口を開く。

「よし、じゃあいこうか」

「……まさか、父さんが踊るところを撮影しろなんていわないよな」

「それも捨てがたいが……べつのところだ。これだけじゃ、ピラミッドとあわせてもまだ考察部分の尺が足りないからなぁ」

「たしかに……」

「でも安心しろぉ！　**十字架だけに、動画づくりは苦労スるもんだ！**」

豪が力強く両手をクロスさせて十字をつくってみせる。

こうして、ふたりは公園のさらに奥へとむかった。

そこには「キリストの里伝承館」という教会風の建物があった。

建物の十字架の下には星形の印がついている。

入館料はおとな200円、子ども100円。

なかにはいると、村のキリスト伝承についてのさまざまな展示があった。

こちらもそれなりに観光客でにぎわっている。

展示物やその説明書きによると、**この村では昔から父を「アヤ」、母を「アパ」とよび、それがヘブライ語の父母をあらわす単語によく似ているらしい。**

また、赤ん坊をはじめて外にだすときは、額に十字をかく風習があったという。

さらに、かつてこの地域の農民のすがたはユダヤ人の農民の服装に似ていたようだ。

ちなみに、この建物についていた星形の印は墓を代々守りつづけてきた、キリストの子孫とされる沢口家の家紋だそうだ。

キリストラーメンにものっていた、ダビデの紋章である六芒星が元になっているのだが、沢口家の祖先が「おそれおおい」として一角へらし、五角の星形になったと伝えられている。

　未知人はこれらの共通点に着目した。

　それらの風習がいつごろはいってきたものなのかはわからないが、新郷村特有のものだとしたら、そこにはかならず理由があるはずである。

　また、キリスト伝説が新郷村にもたらされたのは竹内巨麿がこの地を訪れて以降の話だが、もっと大昔、それこそ２０００年前からの風習だと証明できれば真実である可能性だって生まれてくる。

　なにしろ、**聖書にキリストが21歳から33歳のあいだの記録がない**のは事実なのだから。

「父さん。ここの伝説は案外、続報モノにするのもアリかもよ」

「おっ、未知人も気にいったか！　オレもだぞぉ。ユーモアにあふれてるもんなぁ」

　伝承館をひととおり見おわると、未知人は豪とともにでる。

　そして伝承館の近くの売店で「ドラキュラアイス」なるものをひとつ買って、ふたりで半分ずつ食べた。カップには十字架がえがかれている。

なぜドラキュラなのかというと、村の特産品であるニンニクがはいっているからだそうだ。ただ、滋養が高すぎるため、おとななら一日ひとつ、子どもは半分しか食べてはいけないらしい。

まだ6月とはいえ、よく晴れた日差しの下で食べたそのアイスは、冷たさとあまさが心地よく、またニンニク効果で旅のつかれが癒された。

そしてふたたび「十来塚」の前をとおりすぎようとしたときだった。

さっき売店にいたチンチラを十字架の上でふたたび見つけた。

(ん？　あんなところに……!?)

すると、それに気をとられた未知人は足元の石につまずき、派手に地面に体を打ちつけた。

「だいじょうぶか、未知人！」

かけよろうとする豪が、視界のなかで動画の一時停止ボタンをおしたかのようにピタリと静止する。

その瞬間、とつじょチンチラからチカッと閃光が放たれた。

（なんだ、これは……。十字架が光ったのか？　オレが頭を打ったのか……？）

あまりのまぶしさに目を開けていられない。

ただ、幻があらわれたときのような、いやな感じはすこしもなかった。

むしろ見守られているような、あたたかさが感じられた。

「おめはだれだ？　わの声、きごえるのが？」

『わ』とは『わたし』のこと。きつい南部弁のことばだった。声をきくかぎり、それなりに年を重ねた男のものだ。

「きこえます。オレは世開未知人といいます。アナタはだれですか!?」

「わか？　わぁいったい、だれなんだろうな？」

このとき、未知人はある可能性に気づく。

（まさか……**十来塚にねむる霊**……？）

「アナタはここに祀られている方なのか!?　ならばキリストってことか!?　それともべつの、昔の侍か!?」

「わがんね。それよりおめとは波長があうみだいだ。わぁだれなのがが知りでえ。おめといっしょにいれば、真実がわがる気がするすけ、同行させでけろ」

「ええっ⁉　いっしょにくるって、どうやって――」

「わぁ、おめのまなぐの前にいるすけ」

すると、未知人をつつみこんでいた光はうすれていき、景色は元どおりになった。

「未知人！」

とまっていた豪の時間が動きだす。

かけよってきた豪に支えられながら、未知人がキョトンとして立ちあがると、いつのまにか十来塚の十字架の下にいたチンチラが、チョコチョコと足元にかけよってくる。

「チラ、チラチラチ～ッ！」

「え、まさか、おまえがさっきの声の主……⁉」

「おいおい未知人、ずいぶんなつかれちゃったな」

豪がニヤニヤしながら話しかけてきた。

そしてチンチラの前にしゃがむ。

「おまえ、いっしょにきたいのか？」

するとチンチラは勢いよく未知人の身体をかけあがり、肩にのっかった。

「いや、やめろよ、重っ……」

「チラチラチッ！」

「なんかこいつ、人間のいってることがわかるみたいだなぁ。でも、ちゃんと売店の人にことわってからだぞ」

「いや、ダメだっていわれるだろ！」

「よし、オレが名前をつけてやろう。チンチラだから……『**チラ**』だ！」

豪がビシッと指さすと、チンチラあらためチラも、まんざらではないようすで短い片手をあげた。


その後、売店の人からは「わんども週末しか面倒見れでながったし、めごがってくれるんだば」とかんたんに話がまとまってしまうのだった。

そして未知人はというと、正体のわからないこの小さな生き物を警戒しつつ、みょうなことになったなと、とまどいがかくせなかった――。

4

イラン

謎の古代遺跡・小人族の村

1946年、中東の国イランの、ケルマーン州の町シャダッドの近くで、ある遺跡が発掘された。それまで土に埋もれていたこの遺跡は、6000年前の超古代都市であると判明する。

しかし、その町は通路やトンネル、住居の天井から暖炉にいたるまで、身長1メートル以下の人間でなければくらしていけないほど、すべてが奇妙に小さかった。

「ここは、小人がくらす町だったのでは……？」

そんなウワサが流れ、いつしかこの遺跡は「ドワーフ（小人）の都市」とよばれるようになった。

そして、2005年8月、この遺跡で新たな発見があった。

なんと身長25センチのミイラが発見されたのである。

分析の結果、ミイラは16～17歳で亡くなった若者と判明した。ふつうに考えれば、その年齢で身長がわずか25センチということはありえない。

じつは、イランでは古くから小人族「ドワーフ」の伝説が語りつがれている。発見されたミイラはドワーフで、彼らが住んでいた町こそが、この遺跡だったのではないか。そんな憶測もささやかれた……。

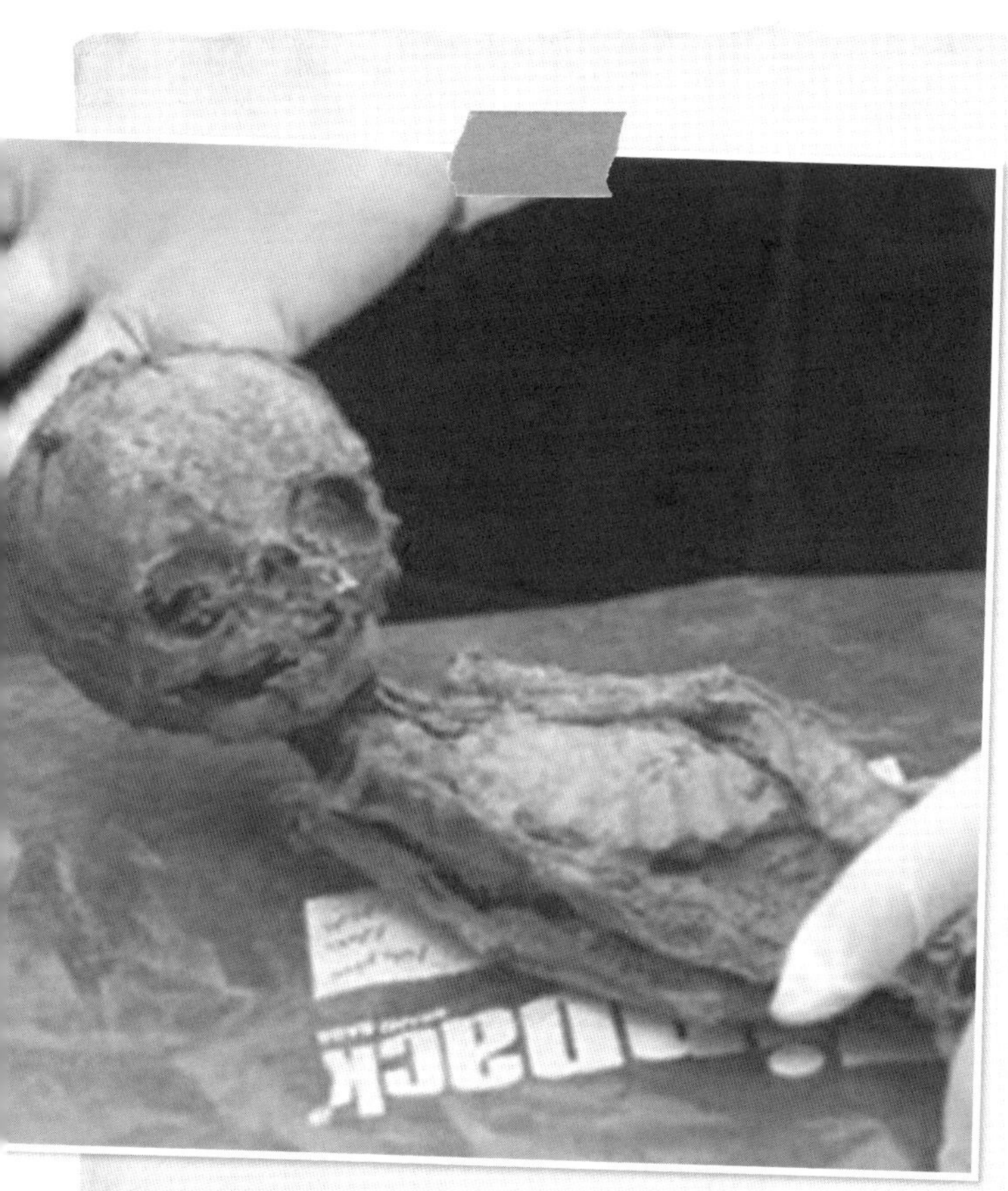

▲ 2005年に発見された25センチのミイラ。
小人族のドワーフではないかといわれている……。

「天堂マコさん、あなたが好きです！　ボクとつきあってください！」


ここは、とある私立学校の中等部。

放課後の教室、ひとりの男子生徒がマコの前で堂々と告白をした。

マコは、意志の強そうな大きな目と、ポニーテールがトレードマークの女の子。

告白をした男子は、前坂　進という名前で、サッカー部のエースだ。

進は、女子たちのあこがれの的だった。

「えっ、前坂くんって、天堂さんのこと好きだったの？」

「ええ～～っ、ショック～～」

教室にのこっていた何人かの女子たちは、そんなことをささやきあう。

進の告白を、マコはとうぜんながらうけいれるものと、女子たちは思っていた。


ところが――。

「ごめんなさい。何度もいってるけど、わたし、あなたとおつきあいする気はないの」

マコは、あっさり進をフった。

ギャラリーの女子たちは「信じらんない」と、ザワザワ。

一方、進はというと……まったく動じるようすもなく、白い歯をキラリンとさせて、さわやかにほほ笑む。

「ボクはあきらめませんよ。いつかあなたがふりむいてくれるまで、何度でも告白します」

「もう、なんでそんなに前むきなのよ！　つきあえないっていってるでしょ！」

どういってもあきらめてくれない進をもてあましたマコは、とっさに帰りじたくをしていた未知人のそばにかけよって、その腕をとりながらいった。

「じつはわたし、彼とつきあってんの！　前坂くんとおつきあいできないのは、つまり、そうゆうこと！」

「え!?　いや、オレは……」

未知人はいいかけるが、マコがその口をふさぐ。

「ねえ、未知人、わたしたち、つきあってんのよねぇ～？」

マコはそういうと、ぼうぜんとしている進をのこし、未知人をひっぱるようにしながら教室をあとにした。

「おいマコ、オレたちがつきあってるって、どういうことだよ!?」

校舎裏で、未知人はマコを問いつめた。

「いいでしょ！　あの人、ああでもいわなきゃ好き好き好き好きって、しつこくって……幼なじみなんだから、話くらいあわせてよ！」

マコは、切羽つまった口調でいいかえす。

未知人は、ボサボサの銀髪をかきあげた。

「まあ……オレはべつにいいんだけどさ」

オーチューバーの父親と世界中をとびまわっている未知人は、授業のほとんどをオンラインでうけ、月の半分も学校にいない。クラスのなかではういた存在で、同級生からは「変人くん」とよばれていた。

「オレみたいなヤツとウワサになったら、マコがこまるんじゃないかと思って……」

「べつにいいよ。わたし、未知人とならウワサになっても」

「……え？」

「あ……つまり、ウワサなんていいたいヤツにはいわせとけってこと」

「……そう」

「ねね、それよりさ、未知人、明日からイランへいくんでしょ？」

「あ、ああ……」

「気をつけてよ～。日本とちがって、かならずしも治安がいい場所ばかりじゃないんだから。それと、水ね。熱中症にならないように水分はちゃんと補給してよね。あと、オンライン授業にはかならずでるのよ」

マコは、クドクドと忠告をならべたてる。

未知人は内心、「やれやれ」と思いながらも、笑みをうかべていた。

マコのお節介は、今にはじまったことではない。

そういうところもふくめて、マコはマコなのだと、今では理解しているのだ。

「はい、みなさん、こんにちは～。セカイの千怪奇ちゃんねるでおなじみ、ミステリーガイド・ゴウでーす！　今日はここ、イランのテヘランの空港前よりおおくりしています。**えっ、イランを旅するのに、防寒具は必要かって？　そんなものは、イラン！**　……そう、ここは灼熱の砂漠がひろがる国なんですね〜。そのイランのとある村で、ひとりの少女が行方不明になっちゃった！　3日ほどしてひょっこり村にもどってきた少女は、なんとなんと、小人族の村にいっていたというからおどろきです！　はたして、その真相は⁉　小人の村は実在するんでしょうか⁉　これから、そのナゾにせまっていきたいと思います！」

テヘランのエマーム・ホメイニー空港前。

未知人のまわすビデオカメラの前で、父・豪がダジャレまじりのトークをくりだす。

ほんの15秒ほどの撮影だったが、ふたりとも汗だくになっていた。

見ると、いっしょにつれてきたチラもぐったりしている。チンチラは、アンデス山脈の標高の高い冷涼な地域に生息する生き物。暑さには弱いのだ。

「出発前に水だけはたくさん確保しておこう。これからむかう場所は、そこらにコンビニがあるようなところじゃないからな」

豪のことばに、「チラ、チラチラ〜（うん、それがいい）」と、チラも鳴き声をあげた。

ふたりと1匹がむかおうとしている場所——それは世界最高気温を記録する地域のひとつ、**ルート砂漠のあるケルマーン州だ。**

首都テヘランから1000キロ、イラン南東部に位置している。

飛行機でもいけるが、「動画に鉄道ファンもとりこみたい」という豪の下心から、今回はあえて夜行列車の旅をえらんだのだ。

夕方6時半。

ふたりと1匹はテヘラン駅から、寝台車にのりこむ。

「いやあ、なつかしい。子どものころにのったブルートレインを思いだすな～」

6人用の寝台車両を見て、豪は大はしゃぎだ。

列車が走りだし、14時間におよぶ長い鉄道の旅がはじまる。

寝台列車はとても快適で、のってすぐ、未知人はウトウトしはじめた。

そして、そのまま朝までぐっすりとねむってしまったのだった。

早朝5時半。列車は、ケルマーン州内にあるザランドという

◀テヘラン駅の構内

駅に到着する。

「ナマーズ！　ナマーズ！」

車掌の大きなさけび声を耳にして、未知人は目をさました。

「え、なに？　なんの騒ぎ？」

ねむい目をこすりながら、父にたずねる未知人。

「ナマーズっていうのは、ペルシャ語で**礼拝**っていう意味だよ。イスラム教徒は、一日五回、礼拝をおこなう。日の出前のお祈りのために、列車が停車したんだ」

停車時間は、およそ20分。

このあいだにおおくの乗客が列車をおりて、駅構内の礼拝堂にはいっていく。

未知人と豪も、外の空気を吸ってこようと、チラをつれ、列車をおりた。

夜明け前の暗闇のなか、そこだけ煌々と明るく照らされた礼拝堂から、お祈りをとなえる声がきこえている。

その光景は、なんともエキゾチックで、未知人は異国にきているのだと実感した。

朝8時45分。

終着駅であるケルマーンに到着したふたりと1匹。

ここから先は、レンタカーでの旅だ。

真夏は70度近くになるといわれる砂漠の道には、蜃気楼がゆらいでいる。

砂漠に強い4WDのレンタカーで道を走っていると、すこし先の道端にゴスロリドレスをきた少女と執事らしき初老の男の立っているすがたが見えた。

「あれは……アンナとアーサー？」

「いや、こんな砂漠のど真ん中にふたりが立っているわけない。蜃気楼だろ」

そんなことをいいあいながら、豪と未知人は走りつづける。すると……。

「たすけてください！」

アーサーのさけび声がきこえてきた。

どうやら蜃気楼ではなかったようだ。豪は、あわててブレーキをふむ。

「どうしたんですか!?」

「タイヤがパンクしてしまって……」

アーサーとアンナの横には、タイヤがへこんだ黒塗りの乗用車があった。

高級そうな車だが、砂漠の熱には弱かったのだろう。

こんなところで立ち往生とは、さぞかし不安だったにちがいない。

「そいつは大変だ！　どうぞのってください！」

豪はすぐさま後部ドアを開け、ふたりを自分の車に招きいれた。

「ありがとうございます！　いやぁ、たすかりましたぁ～～！」

アーサーは、何度もお礼をいう。

「いかにも庶民の車って感じだけど……ま、しかたないわね」

文句をいっていたアンナも、車内にいるチラを見るなり、「かわいい！」と笑顔になる。

アンナのヒザの上でごきげんなようすのチラを横目で見ながら、未知人は思った。

（こうして見ると、チラはただのチンチラにしか見えないな。チラの中身が、きつい南部弁をはなすオッサンみたいなヤツかもしれないって思ったのは、オレの思いすごしだったのか
……？）

きけば、アンナたちも、小人族の村にまよいこんだ少女を取材しにいくところらしい。

「あ、だったら、いき先は同じですね。いっしょにいきますか？」

豪がいうと、アーサーはうれしそうにこたえる。

「ありがとうございます。あの、お礼といってはナンですが、わたし、ペルシャ語をすこし話せますので、通訳をさせていただきます」

「うわあ、そいつはたすかるな～」

今回はスポンサーのゲイトが依頼した案件ではないので、旅費・取材費はすべて自前だ。通訳をやとわずにすむなら、それはそれでありがたいことである。

「ペルシャの絨毯、どこで売る？ **砂漠で売りさばく～♪**」

豪は上きげんでダジャレをいい、車内には一瞬、寒風がふきぬけた。


小人族の村にまよいこんだという少女の家は、シャダッドという町の郊外にあった。

そこは、砂漠のなかのオアシスのような村。周囲を小高い山々にかこまれている。

山の斜面にはナツメヤシの木がおいしげり、木々のあいだをぬうように、石づくりのカラフルな家々が立ちならんでいた。

一行は、その家のひとつを訪ねる。

「日本とイギリスから取材にきた者です」

アーサーがペルシャ語で訪問の意図を伝えると、チャドルすがたの母親らしき女性が娘をよびにいく。

ほどなくして家のなかからは、頭にスカーフをまいたひとりの少女がすがたをあらわした。

名前はカレン。年齢は7歳。

はしばみ色の大きな目をもつ、エキゾチックな雰囲気の、うつくしい少女だ。

「きみが、小人族の村にいったというカレンちゃん？　よかったら、そのときの話、くわしくきかせてくれるかい？」

豪が英語でたずね、アーサーがそれをペルシャ語に訳す。

カレンはうなずき、そのときのようすを語りはじめた。

「お母さんにおつかいをたのまれて、市場にいこうとしたの。でも、道に迷っちゃって……そうしたら、小さなキノコみたいなおうちがたくさんある村があったの。村の人たちはみんなとても小さくて、おとなの足の長さの半分くらいしか背丈がなかったわ」

カレンはいった。

村人たちは、巨人のようなカレンを見て、怖がったという。

しかし、**サラという少女**だけはカレンを怖がらず、友達になってくれた。

「サラとわたしはいっしょにナツメヤシをつんで食べたり、お花のかんむりをつくったり、楽しいこと、いーっぱいしたのよ」

遊んでいるあいだにカレンはねむくなり、サラといっしょに木陰でお昼寝をした。

「目をさましたとき、お日さまはもうしずみかけていて、キノコのおうちはボロボロの古いおうちに変わっていたの。サラも小さな村人たちも、みんないなくなっていたわ」

カレンは、その後、どうにか自分で歩いて家に帰りついたという。

すると、村は大騒ぎになっていた。

カレンにとってはほんの数時間のできごとだったが、村ではすでに3日がすぎていたのだ。家族や村人たちは、必死でカレンの行方をさがしていたらしい。

「……小人族の村か」

アーサーの通訳を介して、カレンの話をきいた未知人は、ふしぎな思いにかられた。

一方、アンナは、そっけなくいう。

「まるでおとぎ話ね。カレンは、きっと夢でも見ていたんじゃない？」

「真実は、自分の目で見てたしかめなければ、なにもわからない。カレン、小人の村があったその場所に案内できるかい？」

未知人のたのみに、カレンはうなずき、一行はその場所にむかうことになった。

「えっ、ここって……」

カレンの案内でやってきたその場所を見て、一同はぼうぜんとする。

そこは、1946年に発見された、通称**「ドワーフの都市」**とよばれる遺跡だったのだ。

そこには、たしかに小さな家の跡がたくさんのこされていた。

しかし、とうぜんのことながら、生きた小人族のすがたはない。

「きみは、ここで本当に小人族に会ったの？」

未知人の問いに、カレンは力強くうなずく。

「わたし、この場所で本当にたくさんの小人たちに会ったのよ。絶対に夢なんかじゃないわ」

「それが本当なら……カレンは、6000年前の過去にタイムスリップしたことになる」

未知人がつぶやくと、アンナは片眉をキュッとつりあげた。

「はあ!? なにいってんの!? タイムスリップなんて、そんなこと現実にあるわけないじゃない! 7歳の子どもの話を真にうけてどうすんのよ!」

「7歳の子どもだからこそ、先入観なく、見たままを話している……そうは考えられないか?」

未知人は、母が失踪したときのことを思いだしていた。あのとき、5歳だった未知人は、見たままを話した。しかし、おとなたちはだれも信じてくれなかったのだ。

「たしかに、カレンが本当のことをいっている可能性も否定はできないわね」

アンナは、眉をつりあげたままの顔でいいかえした。

「でも、彼女がまよいこんだのは、6000年前の世界なんかじゃなくってよ。**ここイランには、本物の生きた小人たちがすむ村があるの**」

「え!?」

未知人はおどろく。

「ねえ、ためしにカレンをつれて、その村にいってみない?」

◀リリパッド村のようす

アンナの話をきいて、未知人は興味をそそられた。
アンナのいう「小人の村」は、ケルマーン州のとなりの南ホラーサーン州にあった。
村には、たしかにカレンがいっていたようなキノコの形をした家がたくさんあった。
家は、石と泥でつくられている。

どの家も、高さは2メートル以下。ひろさは6～9畳ほどで、入り口の高さは、1メートルもない。ふつうの身長のおとなでは、しゃがまなくてははいれない高さだった。

「この村は、世界でも有名な村なのよ。7つのふしぎな村に数えられているの。ガリバー旅行記にでてくる小人の国『リリパット』にちなんで、『**リリパット村**』ってよばれているのよ」

得意げに解説をするアンナを、未知人はあきれた顔で見つめていた。

リリパット村のことなら未知人も以前から知っていたが、ここはおとぎ話にでてくるような、いわゆる小人の村ではない。

村人たちの身長は、たしかに昔は平均1メートルくらいだったらしいが、今では政府の政策で栄養状態がよくなり、国民の平均よりやや低めといったていどなのだ。

しかし、アンナは、まだ自説をあきらめきれないのか、カレンに圧のこもった目をむけながら問いかける。

「カレン、あなたがまよいこんだのは、この村じゃなくって？　ね、そうよね？」

しかし、カレンは、即座に首をふった。

「ううん、村のようすは似てるけど、ちがうわ。わたしが見た村の人たちは、ここの人たちより、もっとずっと小さいの。いちばん背の高い人でも、身長30センチくらいだったのよ」

「そんな小さな人間がいるわけないでしょう？　あなたが見たのは、この村の人たちよね？」

なおもゴリおしするアンナに、通訳をつづけていたアーサーは見かねていった。

「おじょうさま、やめましょう。この村は、カレンさんのすむ村からははなれすぎています。7歳の子どもが買い物のとちゅうでまよいこむような場所じゃありませんよ」

いつも味方をしてくれるアーサーにまで否定され、さすがのアンナも口をつぐむしかなかった。

結局、なんの手がかりも得られないまま、一行はシャダッド郊外の村にもどってきた。

そのままカレンを家におくっていこうとしたとき、未知人のひいでた聴覚が、常人にはききとれない音を感知する。

「さっきの遺跡で、なにかおきたようだ。父さん、遺跡までひきかえして」

「え……お、おう、わかった」

豪は、車をUターンさせた。

遺跡にやってくると、興奮したようすで騒いでいる人びとのすがたが見えた。

豪が英語で話しかけたところ、彼らはテヘラン大学の考古学研究チームとわかった。

遺跡で発掘調査をしていて、興味深い出土品を発見したという。

「いったい、なにがでてきたんですか？」

豪が問いかけると、考古学者のひとりが出土品を見せてくれた。

それは、トルコ石でできた、青いビー玉だった。

「これ、わたしのよ！」

カレンがさけぶ。

まよいこんだ小人の村で、友達になってくれたサラに、カレンは友情の証として、自分の宝物であるトルコ石のビー玉をあげたのだという。

それをきいて、豪はわらった。

「いや～、おもしろいことになってきたな。その話がほんとなら、カレンちゃんがタイムスリップしたっていう未知人の説を裏づける証拠になるが」

「まさか……そんなことあるわけないでしょ！」

アンナは、頭から否定したが、未知人はカレンの目を見ながらいった。

「オレは、きみの話を信じるよ」

「チラ、チラチラ～！」

チラも「信じる」といいたげに、鳴き声をあげた。

「……ありがとう」

カレンは、目をうるませた。

「わたしの話、信じてくれてうれしい。お父さんもお母さんも村の人たちも、夢を見ていたんじゃないかって、だれも信じてくれなかったから」

小人のサラに会い、友達になったのは、だれがなんといおうと本当のことだと、カレンは確信にみちた目でいい切る。

「サラは、いっていたのよ。現在、過去、未来は、ぜんぶ同じところにあるって……サラの村の人たちは、遠い昔に亡くなったご先祖さまも、未来で仲よくなる友だちも、みんないっしょに、すぐそばにいるって思ってるの。心の耳をすませば、声をきくことだってできるって」

アーサーの通訳を介して語られるカレンの話に、豪や未知人はもちろん、アンナもシンとなってききいった。

カレンは、話をつづける。

「サラは、わたしにこういったのよ。『もしもわたしたちがはなればなれになっても、カレン、悲しむことはないの。わたしはいつもそばにいる。あなたのそばに』……って」

一同がカレンをおくり、カレンの家をあとにしたとき、空はすでに赤く染まっていた。夕陽は、砂漠の彼方にしずみかけている。

「さっきカレンがいっていた話って……ブロック宇宙論だよね？」

未知人がつぶやくと、豪もうなずきながらいう。

「古代エジプト、ギリシャ、マヤなどの人びとも似た考えをもっていたんだ。時間は輪のような形になっていて、逆もどりも反復も可能だと、古代人はそう考えていたんだよ」

「まあ、意識だけのタイムスリップってことなら、わたしも信じるわ」

アンナもうなずき、いつになくしんみりした口調で語る。

「昔を思いだすってことは、ある意味、タイムスリップみたいなものだもん。サラもあのビー玉を見るたび、カレンのことを思いだしていたんじゃないかしら……？」

アンナのことばをきき、未知人は思わずポケットから、青銅色のビー玉をとりだした。

それは、7年前、母が行方不明になったとき、未知人をなぐさめようとして、マコがくれたものだ。

未知人は、そのビー玉をお守り代わりに、いつもポケットにいれてもち歩いている。

もちろんマコは、それを知らない。

お節介ばかり焼くマコの顔が、まぶたにうかんだ。

（そういえばガキのころから、アイツだけは変わんないよな。千年たっても、一万年たっても、マコはマコのままなのかも……）


調査をおえ、日本に帰国した未知人は、翌日、学校でマコに小さな袋をわたす。

「なにこれ？」

「土産だよ、イランの」

「未知人がわたしにお土産買ってくるなんて……雪でもふるんじゃないかしら？」

マコは、わらいながら袋を開けた。

「うわあ、かわいい！」

袋の中身を見て、声をはりあげる。

未知人がマコに買ってきたのは、天然石で作られた色とりどりのビー玉だった。

「ありがとう、うれしい！　未知人、わたしのツボ、よくわかってるね」

「まあ、それは……保育園のころからの腐れ縁だしな」

未知人が照れながらこたえたそのとき、一方から声がした。

「……なるほど。そういえば、きみたちは幼なじみだったよね」

声をかけてきたのは、マコに片思いしている前坂進だった。

サッカー部のユニフォームすがたで、相変わらずさわやかな笑みをうかべている。

「世開くん、きみがうらやましいな。天堂さんと幼なじみ同士ってのは、大きなアドバンテージだ。きみたちの過去に、ボクがはいりこむ余地はない」

「そうよ。わかったでしょう？　だからもう、わたしのことはあきらめて」

マコが、すかさずいう。しかし、進は首をふった。

「いや、あきらめない。過去はともかく現在は、ボクのほうにアドバンテージがあるからね。世開くん、きみは海外にばかりいっていて、天堂さんに寂しい思いをさせているだろ？　しかし、ボクは、その気になれば四六時中、天堂さんのそばにいてあげることだってできるんだ」

「いや、それ、めいわくだから……」

マコは、こめかみをヒクつかせる。

進はいっこうに気にするようすもなく、未知人の前に歩みでて、堂々といった。

「世開くん、ボクは今ここで、ライバル宣言をさせてもらうよ。ボクはきみと正々堂々と勝負をして、いつか天堂さんのことをふりむかせてみせる。彼女の未来は、ボクのものだ！」

進はキラリンと白い歯を見せてほほ笑むと、ぼうぜんとしている未知人とマコをのこし、去っていったのだった。

5 ディアトロフ峠事件・雪に埋もれ消えた真実

ロシア連邦（ソビエト連邦）

1959年、**ソビエト連邦（現・ロシア連邦）**、スヴェルドロフスク州北部にある集落・ヴィジャイ。**イーゴリ・A・ディアトロフをリーダーとした男女10名**が、ウラル山脈・オトルテン山にむけて出発した。雪山登山をするためだ。

しかし次の日、体調不良で仲間のひとり、ユーリー・ユーディンが一行をはなれる。

わかれぎわ、ディアトロフはユーディンにいった。

「2月12日までには帰れる計画になっていたけれど、もしかしたら今回の遠征はもうすこし長引くかもしれないな」

「わかった。多少の遅れはつきものだ。だが、くれぐれも無茶はしないでくれよ」

しかし、まさかこのとき交わした会話が、ふたりにとって最後になるとは、だれも予想していなかった。

2月12日。

まだ、一行は帰ってこない。

本来であれば一行がヴィジャイにもどりしだい、すみやかにリーダーのディアトロフがスポーツクラブに電報をおくることになっていた。

だが、ディアトロフがユーディンに話していたこともあり、知らせが届かなくても、気にする者はいなかった。

ところが、それから数日経っても電報は届かない。

さらに、2月20日。

とうとう心配になった一行の家族のたのみで、ようやく山への捜索がはじまった。

そして、2月26日に事態は動いた。

キャンプを予定していたオトルテン山ではなく、南側にあるホラート・シャフイル山で、ようやくメンバーのうち5名が遺体となって発見されたのだ。

◀リーダーのイーゴリ・A・ディアトロフ

また、のこりの4名を見つけるまでには、それから2か月もの時間を要した。

彼らの死因をしらべると、**いくつかの不可解な点**が見つかった。

舌や目玉のない遺体。

致命傷になりうる骨折を負った遺体。

極寒であるにもかかわらず、いくつかの遺体は裸足だったり、衣服を身につけていなかった。さらに、衣服から検出された高い線量の放射能。


これらの謎は、彼らの死に様々な憶測をよんだ。

先住民族・マンシ人に殺害されたのではないか。

未確認生物・イエティに襲われたのではないか。

ソビエト軍の実験にまきこまれたか、外部に知られてはいけない秘密を守るため消されたのではないか。


また、現場にのこされていたカメラのフィルムを現像すると、最後の1枚に謎の光体がうつっていたため、UFOが関係しているのでは、という説まで登場した。

だが捜査当局は、彼らの死因を『抗いがたい自然の力』によるものとして**『犯人はいない』**ことを強調し、結論とした。

そしてこの件に関しての資料は機密文書保管庫におくられ、それから3年間、現場付近の民間人の立ちいりは禁止された。

しかしこのことが余計に疑いと謎を深め、映画や小説になるなど、現在に至るまで世界中の人びとの関心をあつめる事件となっている。

一行が死んだホラート・シャフイル山はこの事件以来、リーダーの名前からディアトロフ峠ともよばれるようになった。

だが元の名前はマンシ語で『死の山』という意味だ――。


それぞれ種類のちがう軍服すがたの男がふたり。

豪華な応接室のソファにむきあってすわっている。

ひとりは口髭をたくわえた、ガタイのよい白人の中年男性。もうひとりは若く、凍りつくようなほどの美青年だ。

「2020年……例の事件がおきてから、もう60年以上経つ。なぜあのタイミングで改めて発表を？」

「いまだに嗅ぎまわる連中がいるようですから」

「なるほど。そいつらの素性は？」

「調査中ですが、相当なセキュリティシステムがあるようで、我が国のもつ技術では、なかなか……」

「ふうん……ということは、すこしは警戒しておいたほうがいいってことかな。そうそう、**彼らのことも**、ね」

そういうと、若い男は口のはしをゆがませ、冷たい微笑みをうかべた――。


「この事件か……」

朝、めざめた未知人がリビングにいくと、めずらしく父・豪がシリアスな顔をして書類を見つめていた。

「なに、また新しい調査の依頼？」

「ゲイトさんからだ」

「ふうん。どこの国？」

「いや、こんどの調査はおまえをつれてはいけない。オレがでかけているあいだ、おまえは天堂さんの家に泊めてもらえるようたのんで――」

「ちょっとまてよ。どんな調査かも知らずに留守番なんてできるわけないだろ！」

未知人は豪につめ寄った。どんな謎でも立ちむかう。それが未知人の信条だ。

すると豪はすこし困った顔をして話しはじめた。

「ディアトロフ峠事件というのは知っているか？」

「ああ。雪山で９人が死んだ事件だ。雪崩にまきこまれたっていわれている……」

「そうだ。事件がおきた１９５９年に当時のソビエト連邦、略してソ連が、そして２０２０年にはソ連をひきついだロシアが同様にそう発表している」

「だけどまだあやしい点がある。そういうことなんだな」

この事件については、未知人もいろいろとしらべていた。

ＵＦＯが関わっているかもしれないという説があったからだ。

「父さん。この事件にはあきらかにおかしいところがある。捜査当局――人間によって真実に手をくわえられた痕跡があるんだ！」

未知人は豪の前で、テーブルに両手を叩きつけていい放つ。

「雪崩だけじゃ説明できない、いくつもの事実が、意図的にムシされてる！」

真実をかくすということは、その裏に人間による巨大な秘密があるということだ。

つまり、その『人間の思惑』まであきらかにしなければ、解明したということにはならない。

だが、豪は未知人に負けず身をのりだす。

「だから危険なんだ！」

「そうだとしても！」

「おまえはソ連がどういう国だったかを知らない。徹底的な秘密主義で、国に都合がわるい情報はかくされてきた歴史がある。そしてロシア

となった今でも、その体制はのこっている。そんな国が機密扱いするような事件なんだぞ」

「だからこそ、母さんの情報が得られる可能性が高いんじゃないか！」

「うぐっ……それは……」

幼いころ、母・結を謎の光につれ去られた過去をもつ未知人は、それがUFO、つまり未確認飛行物体のしわざだと考えていた。

だからこそ、退くわけにはいかない。

このディアトロフ峠事件をしらべればしらべるほど、未知人の脳裏にはUFOの影がちらついていた。

「秘密を暴こうとする者にはきびしい処罰があたえられる。命の保証もないんだぞ」

「ディアトロフ峠はバイコヌール宇宙基地へ直接つづく場所にある。もしかしたらロシアはもう、国家レベルで宇宙人と接触してる可能性だってあるんだ！」

「今回はあきらめろ。あっ！」

未知人はふいに、豪が手にもっていた、ゲイトからおくられた資料をうばう。

そこには英語で書かれたメッセージと、1枚の写真のコピーが載っていた。

『これはソ連崩壊時の混乱で流出した、ディアトロフ一行のだれかが撮った写真だ。我々が解析したところ、光の球のなかに船状の飛行物体のような影が確認された。おそらく2020年のロシアによる発表は、時間をかけて秘密裏に調査していたこちらの動きを察知して、先に手を打ってきたということだろう』

たしかに、資料にのっている写真の光球にはうっすらと船のような影がうつっている。

「まちがいない、UFOだ！」

未知人は豪の両肩をつかみ、ジッとにらむ。

「未知人……覚悟はできてるんだな？」

「カメラマンは必要だろ、父さん」

こうなると豪もタジタジで、未知人がテコでも動かないことを知っている。

もう、観念するしかないのだった。


「いいか。ぜったいにはなれるなよ」

「わかってる」

「チラチラ〜ッ」

日本からロシアの首都・モスクワまで飛行機でおよそ10時間。

そこから国内便にのりかえて、ロシア南西部に位置するスヴェルドロフスク州にはいる。

そして州の北部にある町・イヴデリに列車で移動する。

さらに豪と未知人、そしてチラはディアトロフ一行の足あとをたどるように、レンタカーで八十キロ北にある町・ヴィジャイに到着。

ディアトロフ峠
ノルウェー
スウェーデン
フィンランド
ーランド
ロシア連邦
ベラルーシ
モスクワ
ウクライナ
ヴィジャイ
イヴデリ
スヴェルドロフスク州
カザフスタン

ここで1泊して疲れを癒し、翌日ついに、ふたりと1匹は**ホラート・シャフイル山**を登りはじめたのだ。

先を歩く豪が未知人に話しかける。

「この山の名前はな、このあたりにすむ少数民族・マンシ人が話すマンシ語が由来で、『死の山』という意味らしいぞ」

「不吉な名前だな」

「**ああ。まさにおそロシアってわけだ**」

「やめてくれよ、ただでさえ寒いんだから」

ふりかえって得意顔をむけてくる豪にたいし、未知人はイヤミのつもりで両手に息を吐いた。

ただ、未知人の肩にのっているチラだけは、短い前足で腹を抱えながら「チラチラッ、チラ〜ッ！」と身体をふるわせてわらっているようだった。

そんなやりとりをしつつ、ふたりと1匹は事件のあった峠を目指す。

ところで、さすがにゲイトさんも雪山に登らせるようなことはしなかった。

未知人たちがやってきたこの時期はうっすらと雪がのこっているものの、天気もよく、意外と歩きやすかった。

知らなければ、まさかこの場所で9人もの登山家が怪死したとは信じられないだろう。

(それにしても……)

山道を歩きながら、未知人は考える。

(今までのようなふつうの怪奇スポットとちがって、今回は大国の秘密に関わるような場所の調査だ。ゲイトさんという人物……ただのオカルト好きの大金持ちってわけじゃないのかもしれない……)

「……父さん。今回もゲイトさんに豪華な旅行をさせてもらってるけどさ」

「そうだなぁ。ピロシキやボルシチ、ビーフストロガノフも美味しかったなぁ」

ピロシキは具をつつんで焼いたパンのことで、ボルシチはスープ。ビーフストロガノフは牛肉・玉ねぎ・きのこをサワークリームで煮こんだ料理だ。

ロシア料理は香辛料をあまりつかわない代わりに、ハーブや乳製品をたっぷりつかった、素朴で優しい味わいのものがおおい。

未知人たちもロシアについて早々、空港のレストランでそれらを味わった。

1泊したホテルも、町では一番高級なホテルだ。

「それは毎回ありがたいんだけどさ。ゲイトさんが父さんに調査を依頼してくる目的ってなんなんだろう」

「うーん……なんでだろうな。動画の熱烈なファンなんじゃないか？」

「いや、それにしたって——」

「ほら、そんなことをいってるうちに目的地についたぞ。ディアトロフ一行がキャンプをはっていたのはこのあたりだ」

豪になんとなくはぐらかされてしまったような気分になったが、未知人はこれ以上問いつめるようなことはしなかった。

以前から、ゲイトさんについてたずねても、毎度この調子なのだ。

未知人は気をとりなおし、周辺のようすをしらべてみる。

記録によると、東側の斜面と記されている。

そこに立ってみると、未知人は父にむかっていった。

◀発見されたテントのようす

「思ったより急なんだね。これじゃあテントをはるのも大変じゃないかな」

「当時は雪がつもっていたから、表面はもうすこしなだらかだったんだろう」

「なるほど。テントをはるため穴をほったときに、雪に負荷がかかってくずれたってわけか。

そういえば、2020年のロシアの発表にもそんな説明が書かれてたな」

「そうだ。一応、科学的根拠という意味ではスジがとおっている。それじゃあ、動画撮影の準備をしようか」


「父さん、まってくれ。その前にあらためて、最新の情報を整理してみよう」

未知人はスマホのメモファイルを開き、2020年の発表の内容を確認していく。


『事件は雪崩が原因である』

『死者の頭蓋骨や肋骨などに骨折が見られたが、これも雪崩の衝撃によるもの』

『服をきていなかったり裸足の死体があるのは、より長く生きていた者が死者から拝借したから。もしくは矛盾脱衣という、極限状態における異常行動で説明できる』

『目玉や舌をうしなった死体は、鳥や獣に食われたものと思われる』

『死体は濃い茶褐色に変色していたものもあったが、積雪した高地では不自然でないていどの日焼けである』

『一部の死体のきていた服からは高い線量の放射能が検出されたが、自然環境下であってもありえない数値ではない』

『事件当時、光の球が発生したとの報告があったが、後にミサイルの発射実験がおこなわれていたことがわかっている』

未知人が口を開く。

「気になるのは最後のふたつだな」

「根拠は？」

「あくまでカンなんだけど。今、改めて考えてみると、放射能の線量については、これだけでは説明が足りない気がする」

「ふむ……おまえもそう思うか」

「ミサイルの発射実験もだ……秘密主義の国がここまで説明するのには裏があるんじゃないかって、余計にカンぐってしまうな」

雪山を登る
ディアトロフ一行のようす▶

▼左上から右の順に

ユーリー・ドロシェンコ、リュドミラ・ドゥビニナ、イゴーリ・ディアトロフ、

セミョーン・ゾロタリョフ

▲真ん中から右の順に

ジナイダ・コルモゴロワ、アレクサンダー・コレバトフ、ユーリ・クリヴォニシェンコ、

ルステム・スロボディン、ニコライ・ブリニョール

◀ディアトロフ峠事件で亡くなった9人のお墓（ロシア、エカテリンブルクのミハイロフ墓地）

「うん。たしかにそうだ」

未知人はあたりを見まわしてみる。

見渡すかぎり山がつづく。ホラート・シャフイル山はヨーロッパとアジアを隔てるように縦断する、ウラル山脈に属する山のひとつだ。

未知人は想像する。今は穏やかな気候だが、雪におおわれ、吹雪いてきたら、とてつもない恐怖にちがいない。

そのとき、とつじょチラが、雷に打たれたように全身の毛を逆立てて「チラ～ッ！」と叫ぶ。

そして未知人の肩からとびおり、はじかれたように一直線にかけだした。

「あっ、まて！」

「チラチラチラ～ッ」

未知人は素早く走っていくチラを懸命に追いかける。

「おい、未知人！　はなれるなっていっただろ！」

豪も未知人を追う。

すると、チラはとくに傾斜のきついある地点で、未知人に合図するかのようにピョンピョンと何度もはねた。

「いったいなんなんだ……？」

息をきらせながら追いついた未知人は、チラの足元を見る。するとそこには、拳くらいの大きさの石が土に半分埋まった状態であるのみだった。

しかしチラは必死になにかを訴えている。

「チラチラッ！　チラ〜ッ！」

こんなとき、コミュニケーションがとれないのはもどかしい。これなら、まだ同一人物（？）だとたしかなことはいえないものの、チラと出会ったキリストの墓で謎の男がしゃべったキツい南部弁のほうがよっぽどマシだ。

未知人がポカンとしていると、チラはチンチラのくせに目をつりあげて、一心不乱に石のまわりの土をほりはじめる。

「なんだ？　この石をほりだせばいいのか……？」

たずねると、コクコクと何度もうなずくチラ。

未知人は石をつかんでひっぱってみる。

すると、さほど深くは埋まっておらず、石は案外すんなり地面からとりだせた。

石をとると、まるでフタがされていたかのような穴があらわれた。

「チラチラッ！　チ～ッ！」

チラは前足で穴を示し、なにかにとり憑かれたように訴えかけてくる。

穴のなかになにかがあるとでもいうのだろうか。

しかし未知人はチラを完全に信用しているわけではない。何者なのか正体がわからないチンチラの主張を鵜呑みにするほど、甘い考えはもっていない。

ところが迂闊な人間は他にいた。

「なんだ？　ここになにかあるのか？　ようし、オレがとってやろう！」

「ちょ、父さん!?　おそロシアはどこにいっちゃったんだよ！」

「だいじょうぶ！　**『穴』に手を突っ『こんだ』ら、アナコンダ！**　なんてことにはならないだろ！」

そして豪は躊躇することなく、宣言したとおり穴に手を突っこんだ。

「おっ!?　これは……」

豪が腕をズボッとひきぬく。するとその手には、なにやら走り書きのメモのようなものがはいった古いワインボトルがにぎられていた。

豪はそれをとりだそうと、ボトルに指を突っこむ。

しかし指はメモ用紙まで届かず、どうやってもとりだせそうにない。

「どうやったらとれるかな……」

「こうすればいいのさ」

未知人は豪からワインボトルをうばい、地面の岩に叩きつけた。


ガシャーン!


ボトルは粉々にくだけ、メモ用紙があらわになる。

それを未知人は破片に気をつけながら拾いあげた。

だが、そのメモは見なれない文字の混じった文章でつづられていた。

「……父さん、ロシア語って読める？」

「いやぁ、無理だなぁ」

「そうか……」

巧妙にかくされていた状況を考えれば、重要なメモである可能性は高い。もしかしたらディアトロフ自身か、一行のなかのだれかがのこしたものである可能性すらある。

それだけに、この場ですぐ読めないのは歯痒かった。

「父さん。はやく山をおりて、このメモを翻訳してもらおう」

「そうだな。もしかしたら、真相にせまるようなすごい発見かもしれないぞ」


そのとき、あたりの空気が変わった。

周囲が冷気につつまれる。

ふきすさぶ強風がふたりの身体から体温をうばっていく。

そして、いつのまにか景色は分厚い雪におおわれて、真っ白に染まっていた。

「なんだ……急に」

「いくら山の天気は変わりやすいといっても、これはふつうじゃないぞ」

「たぶんオレたちは今、攻撃をうけている。この感じは……幻だ！」

「そのメモを渡したまえ」

何者かの声がひびく。未知人はその声に聴きおぼえがあった。

「でてこい……幻！」

するとそのことばに呼応するかのように遠くから光の球が近付いてくる。

ディアトロフが撮った写真の光にそっくりだ。

そして光のなかから人影があらわれる。その人影は未知人にむかって歩いてくる。

あるていど近付いてくると、そのすがたがハッキリと見えてくる。

特徴的な紋章のはいった軍服すがたの青年――幻だ。

「キミはいつも本当に余計なことをしてくれる。前に警告したはずだよ」

「おまえはここでなにをしている！」

「ふふっ、さてね。そんなことより」

幻は未知人のもつメモ用紙に手をのばす。

未知人はまるで金縛りに遭ったように動けない。

いつもそうだ。幻と対峙すると、必ず身体の自由をうばわれる。

この力をどうにかしないと幻とは戦えないのだ。

幻がメモ用紙を未知人の手からとりあげ、見る。

そして忌々しそうににぎりつぶした。

それを見た豪がいう。

「おまえが……幻か!?」

「こたえる必要はないよ。それにしても……よくこんなメモをのこしたものだ」

「あーっはっはっはっは！」

豪は表情をひきつらせながらも、思いきり大声でわらいだした。

「なんだい。うるさいオッサンだね」

「ザンネンだったな！　オレはもうそのメモを読んだぞ。その内容を動画で配信したらどうなるかな!?　**メモだけに、目も当てられないってか!?**」

もちろんハッタリだ。だがメモを読んだ幻のようすを見て、かけひきにでたのだ。

すると幻が怒りを宿したスルドい目を豪にむける。

「ふうん……読んでしまったのか」

「そうだ、読んだ！」

「だけどそれを公表すれば命はないよ。ボクではなく、人間の手によってキミたちは消されるだろう」

「なんだと」

「これを読んだなら想像はできるだろう？　一部の人間は服従を誓い、『神』の恩恵をうけてきた。太古の昔からね。だがそれはけっして表にだしてはならない秘密なのさ」

そういうと、幻は豪の荷物からビデオカメラをとりだし、ふしぎな力で粉々に破壊した。

「ああっ！　そのカメラ、高かったのに！」

「父さん、そんなことより」

雪山と化したディアトロフ峠はしだいに吹雪いてきて、極寒が未知人と豪を襲う。

未知人のふところににげこんだチラも例外ではない。

「チッ、チラ～ッ！」

寒さに強いはずのチンチラでさえたえられない冷気。

豪も未知人も歯の根があわず、ふるえがとまらない。

急激に体温を奪われていくのを感じる。

指先や顔など、肌が露出しているところは冷たさが痛みに変わっていく。

それでも幻だけは平気な顔をして、事もなげに立っている。

動けない未知人たち。しだいに猛烈な眠気がこみあげてくる。

「未知人！　ねむるな！　寝たら死ぬぞ！　今、父さんのダジャレで暖めてやる！」

「寒くて凍えるからやめてくれ！　くそ……このまま動けないんじゃ……」

「あっははは、あっははは！　これは罰だよ。余計なものを見てしまったことへのね！」

幻は邪悪な笑い声をひびかせる。

だが、それも未知人にはだんだん遠くなっていくように感じる。

まぶたが重くなっていく。もはや抗うことなどできない。

それは豪も同じようだった。

「未知……人……」

「うっ……父さん……」

「凍死したら……とうしよう……」

うすれゆく意識のなか、最期にきく父のことばがダジャレになるとは。

こうして、未知人はとてもザンネンな気持ちになりながら、目を閉じた。

だが、暗闇と吹雪の音に混じり、囁くような幻の声が耳にはいる。

「……やっぱりだ。似ているな、あの人の寝顔とそっくりだ」

（え――？）

幻のいう『あの人』とは……？

そんな疑問が頭にうかび、未知人の意識はそこで途絶えた。

「チラ！　チラチラッ！　チラ～～～！」

チラの鳴き声がきこえる。

はじめは遠くで鳴いているのかと思ったが、それはだんだん耳元で叫んでいるのだとわかってくる。

甲高い鳴き声は聴覚がスルドすぎる未知人の耳に障る。

うるさいな、と思うと、徐々に意識がはっきりしてくる。

「う……ん……」

めざめると、青い空が視界いっぱいにひろがっていた。

土と草のにおいがする。未知人はゆっくり手足の感覚をたしかめる。

問題なく動く。どこにもケガなどはないようだ。

ゆっくりと立ちあがる。

そして周囲を見まわすと、そこは元の気候にもどったディアトロフ峠だった。

どうやらすこしの間、仰むけにたおれていたようだ。近くに豪もたおれている。

周囲にあれだけの雪がふった形跡がないことから、幻と出会っていたときの、あの猛吹雪はきっとまぼろしだったのだろう。

それでも、あのまま攻撃をうけつづけていたらと思うとゾッとする。

それほどに真実味のある寒さだった。

「父さん。父さん！」

「ああ……未知人……寝たらダメだ……**山で寝るなら、テントをはって、寝袋で寝るのが、百点マウンテン**……はっ！」

豪がめざめる。こちらも無傷のようだった。

おそろしい目に遭った。

しかし、どうやら見のがしてもらえたらしい。

いや、そうとはかぎらない。

チラに叩きおこされなければ、あのまま死をうけいれてしまっていたかもしれないのだ。

心が死をうけいれれば、本当に死んでしまうこともある。

この場にとどまりつづけることに命の危険を感じたふたりはすぐに下山をきめた。

「どうする？　今回の出来事は」

未知人が豪にたずねる。

「……動画にはしないほうがいいだろうな」

「まあ、カメラも粉々にされちゃったし」

「ああっ、そうだった！　新しく買いなおさなきゃ……」

日本に帰国してすぐ、未知人と豪は今回の一件について今後の扱いを相談した。

というのも、ロシアを出国するまで、常に何者かの視線を感じていたからだ。

幻は、彼に近しい人間が深く関わっているのを示唆するようなことをいっていた。

となると、豪や未知人のような個人では太刀打ちできないあいてということになる。

身を守るためにも、慎重に慎重を重ねる必要があるということだ。

「だが、ゲイトさんにはぜんぶ報告しておこう。いざというとき、力になってくれるはずだから」

「それがいいと思う」

これが、未知人たちのだした結論だった。

あのメモにはなにが書いてあったのだろう。

幻の反応を見たかぎり、ディアトロフ一行のだれかがのこしたにちがいない。

彼らはいったい、なにを知ってしまったのだろうか……。

そして、幻とは何者なのか。謎は深まるばかりである。

また、幻は未知人の寝顔を『あの人』に似ているといった。

だれに似ているというのだろうか。

（まさか、母さんじゃ……!?）

そんな可能性を見いだすことができただけでも未知人にとっては大きな収穫だった。

（ぜったいにたすけてみせる……まっててくれ、母さん！）

こうして、母をとりもどすため、強大な敵と戦う決意を新たにする未知人なのであった——。

エピローグ

「ディアトロフ峠のメモにはなにが書かれていた？」

「……『神』よ。我々にとってはとるに足らない内容です。ただし、人間が知るには
まだはやい」

「なにが書かれていたときいている」

「はっ！　……私の前任者の『船』と、我々とあの国の権力者とのかかわりについて
の、憶測だと思われる内容が」

「ほう……それをあの動画配信者は読んだといったわけだな」

「しっ、しかし！　その後の観察によると配信者とその息子はロシア語につうじてお
らず、私が接触したときにいったことばはハッタリだったと結論付けております！」

「ふむ……ならばよいのだが」

ここは『母船』のなかにある『コンタクトルーム』。

白い壁にかこまれた無機質な部屋だ。

その中央の台座におかれた、マーブル模様がまるで渦のように動きつづけるふしぎな水晶玉に手をおきながら会話する幻は、ふだんの冷酷な笑みから程遠い、緊張の面持ちをうかべている。

いや、これを正しく『会話』とよべるかは定かでない。

というのも、声を発しているのは幻だけで、『神』のことばは音声としてきこえているわけではなく、脳に直接電気信号をあたえて伝えられているものだからである。

幻も、いわゆるテレパシーのようなこの能力を使うことができる。

人間を意のままにあやつる際にはこの力を使っているのだ。

だが今、それでもじっさいに声を発してしまうところに、そして頬を伝う冷や汗に、普段の幻らしからぬ畏まったようすが見てとれた。

なにしろ、あいては『神』なのだから。

「幻よ。おまえが地球で『神』のように振るまうのはかまわない。だがこれからも、ワタシのために『調整者』としての職務を全うせよ。わかっているな？」

「……とうぜんです」

「おまえに身体をあたえ、役割をあたえ、力をあたえたのがだれかをよく胸の内に刻むがよい。ワタシはね……おまえを心から信頼しているのだよ」

「感謝の極み。ありがたき、幸せでございます」

幻が水晶玉に片手をおいたまま最敬礼でこたえると、冷や汗が一滴、顎から床にポトリと落ちた。

［第3巻につづく］

1巻も好評発売中！

1 幽霊屋敷 レイナムホール

木滝りま　太田守信・作
先崎真琴・絵

- 巨像モアイは夜歩く
- 幽霊屋敷レイナムホール
- 人魚伝説 800年生きた尼
- 吸血UMA チュパカブラの謎
- 呪いの森 ホィア・バキュー・フォレスト

▶次巻予告

「アンナ、泣かないで……
おぼえてるでしょう？　私たちのあいことば……」

「アンナ!!いくな！」

「今すぐ台湾にいこう！
マコを助けなきゃ！」

「おめでとう。
キミは望みどおり
『神』に選ばれた」

マコとアンナに
せまる足音……！

セカイの千怪奇（せんかいき）

3

SEKAI NO SENKAIKI

作 木滝りま　きたき・りま（執筆：1章、2章、4章）

茨城県出身。小説家、脚本家。児童書の作品に「科学探偵 謎野真実」シリーズ（朝日新聞出版）、『世にも奇妙な物語 ドラマノベライズ 恐怖のはじまり編』（集英社）、「みんなから聞いたほっこり怖い話」シリーズ（岩崎書店）など。脚本作品にドラマ「カナカナ」「念力家族」「ほんとにあった怖い話」、アニメ「スイートプリキュア♪」など。

作 太田守信　おおた・もりのぶ（執筆：プロローグ、3章、5章、エピローグ）

立教大学文学部ドイツ文学科卒業。小説家、脚本家、演出家、俳優。漫画「ブルペンキャッチャー真壁満人」（ホーム社）原作、「～はんなり京都～浄化古伝」（双葉社）小説構成、「行ってはいけない世界遺産」（花霞和彦・著、CCC メディアハウス）リサーチ協力、ドラマ「ダ・カーポしませんか？」脚本協力など。他、舞台脚本多数。

絵 先崎真琴　せんざき・まこと

ゲーム会社勤務後、独立。ゲーム、アニメ、VTuber キャラクターデザイン、CD ジャケットイラスト、書籍挿絵などで活躍する。作品に「Fate/Grand Order」「FF14FreestyleArt」「ときめきレストラン☆☆☆」など多数。趣味はゲームと謎解き。

装丁・本文フォーマット　みぞぐちまいこ（cob design）

協力　樋野友三（&REAM,Inc.）

写真出典

p6,13,26 Nasca_Astronaut_2007_08Created by modifying ByRaymond Ostertag, CC BY-SA 3.0
カバー ,p14 Nazca_colibri Created by modifying By BjarteSorensen, CC BY-SA 3.0
p15 AdobeStock_127368926
p22 Pisco_-_Plaza_de_Armas_-_panoramio Created by modifying By Pavel Špindler, CC BY 3.0
p26-27 Created by modifying own work by Wojciech Kocot, CC BY-SA 4.0
p38 AdobeStock_461080557
p42 Líneas_de_Nazca,_Nazca,_Perú,_2015-07-29,_DD_50 Created by modifying By Diego Delso, CC BY-SA 4.0
p51, p66-67 Regusters mokele Created by Bradypus Tamias CC BY-SA 3.0
カバー ,p53 Mokelefootprint1.jpg Created by Praying Mantis Man CC BY-SA 3.0
p7.54 Mokele-mbembe alleged photograph.jpg Created by Bradypus Tamias CC BY-SA 3.0
p67 Mokele-mbembe by William Rebsamen.jpg Created by Bradypus Tamias CC BY-SA 3.0
p69 Mysterious Lake Tele modifying By Tom Klaytor, CC BY 2.0
カバー ,p6-7,p87,p104 ～ 106- 新郷村役場
P95 ～ p97,p110- キリストっぷ
p89 AdobeStock_285849816
p117 AdobeStock_199961374
カバー ,p7,p119 Makhunik-an-Ancient-City-of-Little-People Created by modifying Desmondbanana CC BY-SA 3.0
p126 Created by Milad Mosapoor - Own work, Attribution,
p134-135 کینوخام یاتسور By Tasnim News Agency, CC BY 4.0
p135 کینوخام یاتسور By Tasnim News Agency, CC BY 4.0
p7, p145, p155,160-161 Created by modifying AdobeStock_425607151
カバー ,p147 Added by Petr Bartolomey, CC BY-SA 2.0

セカイの千怪奇 ②日本で死んだキリストの墓

2023年 7月31日　第1刷発行
2023年10月31日　第2刷発行

作　者　木滝りま　太田守信
画　家　先崎真琴
発行者　小松崎敬子
発行所　株式会社 岩崎書店
〒112-0005　東京都文京区水道1-9-2
電話　03-3812-9131（営業）
03-3813-5526（編集）
振替　00170-5-96822
印刷・製本　三美印刷株式会社

NDC 913
ISBN 978-4-265-82102-0

Published by IWASAKI Publishing Co.,Ltd. Printed in Japan
ご意見ご感想をお寄せください。　E-mail　info@iwasakishoten.co.jp
岩崎書店ホームページ　https://www.iwasakishoten.co.jp
落丁本・乱丁本は小社負担にておとりかえいたします。